こちら葛飾区亀有公園前派出所 ⑨

こちら葛飾区亀有公園前派出所⑨

目次

両さん人間ドックへいくの巻

えっ!? 私が人間ドックにいくんですか!?

自分の健康管理も警察官としてちゃんとせねばいかん 食生活もメチャクチャなんだから一度 検査してこい!
検査なんてですよ必要ない!
どこも悪くないし健康の見本みたいな体ですから

成人病は自覚症状がないまま進行するケースが多いらしいですよ
そのとおり 自分の体を過信しすぎている人間が一番あぶない

そこいらのやわな現代人とは体のつくりがちがいますよ私は！
どんなビールスが きても受けつけない強じんな体ですよ
両ちゃんならエイズになっても絶対死なそうね
あたぼうよ！エイズなんかドンとこいだ！

バカ野郎！この時期にそんなセリフ言わすな!!問題発言になるだろ!!
だって本当にそう思うもの！

ガンなんか早期発見が決め手ですよ
ガン!!

先輩は おなかがすくと手あたりしだいにガムシャラに食うという動物的な食生活ですからね
まるで栄養のバランスなど考えておらん絶対 消化器系にダメージがあるはずだ

まあみなさんがそこまでおっしゃるのでしたら…
シャレで検査にいってみてもいいかなあ

人間ドックってどこでやってんだ!?
ボクのしってる病院でよければ紹介しますよ
おまえもいっしょについてこい! ひとりじゃ…ちょっと不安だからな
ええいいですよ
三年以内にかかった病気は…!?
なし…と!
まだこんなにあるのかよ! まるで夏休みの宿題ドリルだな!
検査の上で重要な資料になりますからぜんぶ答えてください
ふうやっとアンケートがおわった!
今度はこちらも書いてください

スーパーデラックス健康センター
ホテルみたいな大病院だな!?
東洋一と言われてますからねここは!
検査料20万円というのも納得!車検なみだからな
スーパーデラックス健康センター
初診ですから今回ボクがはらっておきました
うひょう
看護婦さんがいっぱい!!
受付

初診コースのエスコート係の青山です私が終了までご案内させていただきます
どうもよろしく！
受付
時間になったらむかえにきますから
わかったじゃあまたな！
病院中ピチピチの若い看護婦さんだらけこれじゃ病気もなおっちゃうな

初めは身体測定そして肺機能検査にまいります
はい　はいもうどこへでもいきます！

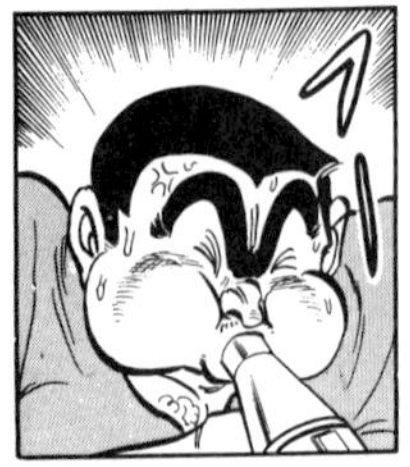

うわっ!
モニターテレビがこわれた!
わしはただ肺の空気をいれただけだ
一気にやりすぎですよ! あーあ高価な機械なのに…
すぐこわれるのをつかうからだ

血液算定 肝機能検査 超音波所見 腎機能検査 視力 聴力と検査がおわった…
ふう! まだのこってるのかよ!
あと心電図と消化管所見で終了です

心電図

体に電気を流すんですか? 先生!
逆です 体の微量の電気をはかるんです

うわっ!!

電気うなぎみたいな人だ…

おつかれさまでした
つぎは消化器系です!
あいよ

ゴクゴク

バリウム飲みおえましたら元の位置にもどしてください
まずい! せめてウイスキーで割ってくれればいいのに!
MEDIX
台をうごかします

うおっ うごいた⁉

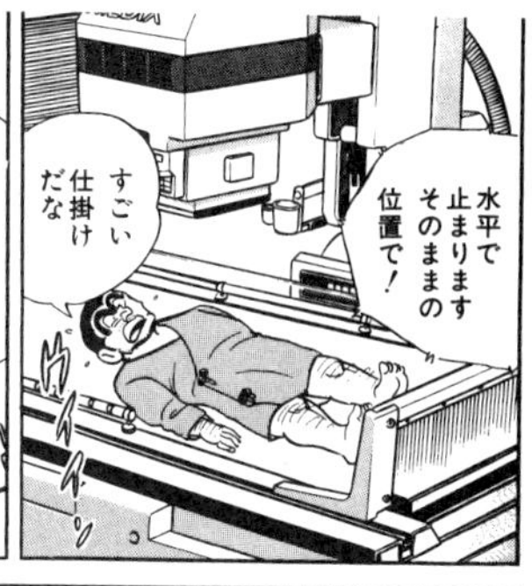
水平で
止まります
そのままの
位置で！
すごい
仕掛け
だな
ガーン

自分の胃が
テレビに
うつってると
いうのは
気味悪いな

え？
教授が
呼んでるって
!?

ちょっと
そのままで
おまち
ください
おい
こら！

教授 何か
あったんです
か？
うむ 38番の
両津勘吉氏だが
大変なことを
発見した！
X-RAY FILM

パチ
先ほど 彼の
レントゲンを
撮ったのだが
見てくれ！
X-RAY FILM

これが
現代人の
頭骨

これは
チンパンジーの
頭骨

そして これが
両津氏の
頭骨だ
オーオー

たしかに
現代人の頭骨
とはちがう!
なぜだ!?
ガー
ガヤ
うむ!
どちらかと
いうと原人に
近いな!!
ガヤ
まゆの部分や
下あごが
現代人と
異なる
ガヤ

三面図により
頭骨を立体化
してみたものが
…

これだ
!
おお!
ゴト

北京原人に
似ているな
!
ガヤ ガヤ
いやあ
アジア系では
ないぞ!

50万年前のヨーロッパだな
するとクロマニヨン人！
ちがうちがう！よく見たまえ！
この大脳の脳容量の小ささを見なさい
これはどう見てもチンパンジーなみだ！
したがってサルの仲間に属する

そんな少なくないでしょうゴリラ以上はありますよ
いやオランウータンに近いね
ガチャ
どうもおそくなりました！

あっ！ジャワ原人の頭部複製購入したんですか!?
ちがう！
ジャワでないとすると…北京原人ですか？
うちのクランケの頭骨だ
えっこれが現代人の頭骨!?
信じられんのもムリはない霊長類の進化論を逆行させるような頭骨だからな

教授
このことを
学会で
発表したら
すごいですね
そのとおり！
神が　くださった
チャンスだ
生きた化石が
手にはいったのと
おなじだ

38番の
両津勘吉氏を
徹底的に
調査
しなさい！
はい！

どうも
おまたせ
しました
またせ
すぎだぞ！
不安に
なるだろうが！

レントゲン
撮りますから
こちらへ
きてください！
え!?
さっき飲んだ
バリウムは
どうすんだ
よ!?

はい！
息を止めて
ください
何か
発見されたの
かな!?

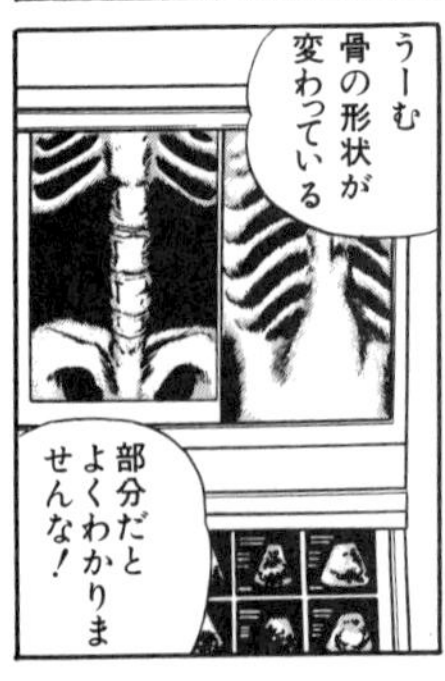
うーむ
骨の形状が
変わっている
部分だと
よくわかりま
せんな！

※ハビリス人＝200万年前、猿人より少し脳が大きい人類が出現した。
それがハビリス人。原人よりも知能は低い。

ここにバナナがありますね
うむ!
この積み木をつかってとれますか?
簡単じゃねえか!

こうすりゃとれるよ
オー
オー
オー
知能は高い!
オリバー君とあらそうぞ
ガヤ
ガヤ
ガヤ
へんな実験やらされてんじゃないだろうな

リンゴの皮をむけますか?
ああ できるよ

木登りは昔から得意ですか?
ああ! まあな!

両親は外人ですか? たとえばジャワや北京に住んでいたとか?
ちょっとまて! こら!

内科診療でなぜ そんなことまで聞くんだ!?
こ これは肝臓機能障害の有無をしらべるために…
ウソをつけ!!
先輩まだ検査おわらないのですか?
あっ中川!!

こいつらわしがガンというのをしってからかってるんだ!
ちがいますよ! 体は まったく異常ありません!!

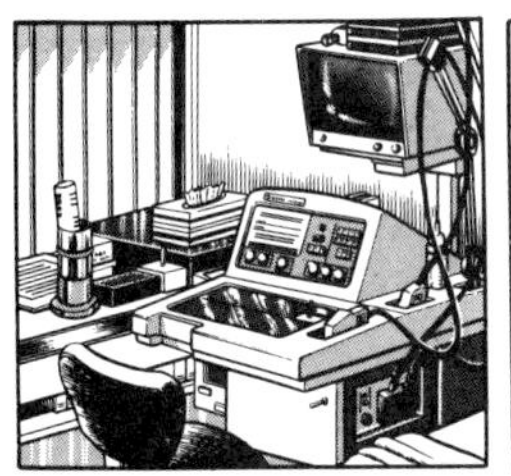

先輩の骨格は55万年以上前の原人に似てるですって!?
単なる偶然かもしれませんが…まことに変わった骨をしてることは確かです

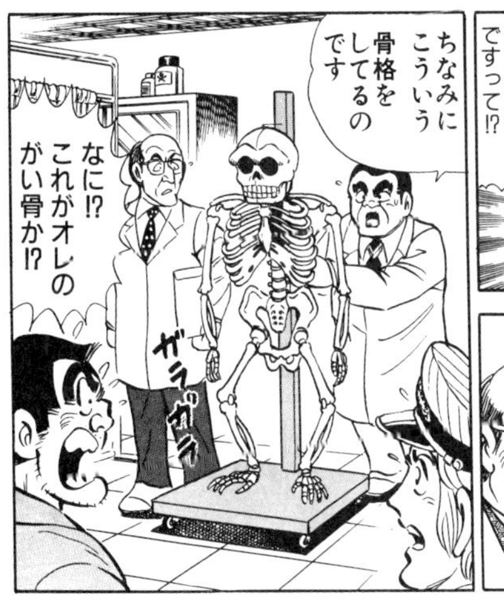
ちなみにこういう骨格をしてるのです
なに!? これがオレのがい骨か!?
ガラガラ

コンピュータで体内の機能がうつしだされますからね いろんな角度から うつし立体像にするのは可能ですよ
うーむ これが わしの頭がい骨かあっ不気味だな
現代人の脳の容量は1,300cc！ゴリラなどは半分の506cc！
であるのに彼の場合は計算すると800ccしかない！ゴリラに近い
コン
人の脳みそまで勝手に 計るな！少なかろうが大きなお世話だ!!
く…苦しい!!
彼はスポーツ万能ではないかね？
ええ一応なんでもこなせますが！
大脳の発達に反比例して手足の筋肉のつき方がゴリラに近く 体力があり身の軽さが…
まて！こら!!
一番驚かされるのはこの頭部だ
サルからヒトへの進化
理論的に悪口を言いやがって！いいかげんにしろ!!
悪口ではない事実だ！
何かあったんですか？

化石の頭骨は
復元作業と
いうのがある！
現代でも
白骨死体など
から被害者の
顔を復元し
事件の手がかり
にする
頭骨に粘土で筋肉を
つけていくわけだ
原形より鼻の高さや耳の位置
など計算し 表情筋などを
つけてゆく
現代では かなり本人に近く
復元できる技術が発達して
いる
そこで
われわれも
両津さんの
頭骨を
つかって
ためしに
復元して
みたら…
このように
なった！
ゴト
げっ!?
バカ言うな
どこが似て
いるんだ！
全然ちがうぞ！
そこが
不思議なんだ！
計算で
復元
すると
こうなるはず
なのだが!?
現実は この
顔なんだぞ！
本人が目の前に
いるのに
どうして
似ないんだよ！
筋肉のつき方が
まったく
異なってるとしか
言いようがない…
まるで
原人だ
計算では
こんな顔に
なるはずがない！
どうしてあなたは
こんな顔に
なったんだ!?
はなせ！
気味悪いな！

この人の骨が発見されたらほとんどの学者が50万年以前の物と言うだろうな
ヒソ
ヒソ
ほっとけ!
キミを分類すると現代人よりかぎりなくこっち寄り…
ちょうどキミはこのポジションで進化している
テナガザル
チンパンジー
オランウータン
類人猿
北京原人
ジャワ原人
現代人
人類
エジプトピテクス

この発達してない後頭部を見なさい!大脳が小さい証拠だ!
原人
パシ
パシ
なるほど
うむうむ

人の頭をパンパンたたきやがって!
もう勘弁ならん!
先輩!

脳が小さくて人に迷惑かけたか!?おまえ達はカゼ薬でも開発してろ!!
うわっ
ドガ
ガシャッ
やはり野性的だ!

性格や行動だけでなく骨まで普通と変わっていたとはな！
大あばれしてもう大変！とんだ人間ドックでしたよ！
肝心の体のほうはどうだったの!?
健康のサンプルだって心臓に毛が生えるくらいさ！
あっ先輩！
おねがいしますよ！ぜひ もう一度検査させてください！まだ発見があるかも
うるさいあっちいけ！しっ しっ!!
ただの変わり者でないと思っていたが骨のズイまで変わり者だ

★週刊少年ジャンプ1987年18号

やっぱりふたりはくさい仲!!の巻

亀有公園前派出所
コキザンGSシリーズ
その②
「田村正和さん
ギターをもってどこへ
行くんですか?」
「ばかもの! 私はザ・
タイガースのトッポだ」
30才以上の人しか
知らない――
リクエスト曲
ザ・タイガース
「花の首かざり」

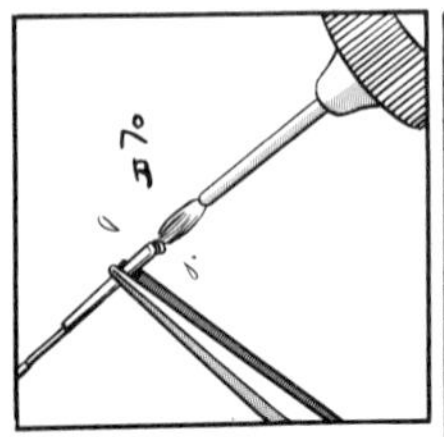
ペタ

ピタッ

見たか
0.4秒で
ピタリと
接着して
しまった!
なるほど
!
Alfa-Romeo G.S.S

「スーパー
セメントX(エックス)」の
おかげだ
SUPER
X

この接着剤は
強力すぎて
日本(にほん)での販売が
禁止されている
そのため わしは
アメリカより
通販で入手した
一本3万円だぞ

どんな つきにくい材料でも物を えらばずなんでもOK!
このようにほんのちょっぴりぬれば…

このような重い物でも
トン
この通り
ピタ
あっ

すごい! まったくはなれない! 強力すぎてこわいですね!
だから通販でしか手に入らんわけだ!
まちがってつけた場合どうするんです?
中和剤がセットになっている
これがないとえらいことになるからな
まさしくモデラー専用ですね

今 製作してるのはホワイトメタルといってすべての部品(パーツ)が亜鉛合金属で作られた高級モデルだ
金属だから実車と同じ塗料が使えるだから実車同様の輝きで美しい
メタルモデルには強力接着剤はなくてはならぬ品物!
とくにこの「スーパーセメントX」があれば鬼に金棒というわけだ

あと20分ほどで
完成する!
でき上がったら
ビールで
カンパイしよう
楽しみに
してます

「スーパー
セメントX」の
おかげで
作業が はかどって
たすかるよ
ニャーン

すみま
せん!
あっ
はーい!

ダーッ
あっ

こら!!
高価な
接着剤を
こぼし
やがって!!
フギャ
あっ!

いかん
手が ついて
しまった
くそ!
フギャー

おい
中川!

中川
中和剤で
これを
とってくれ！
ギャー
ギャー
あっ！

いったい
なんのマネ
です？
ネコが
あばれて
接着剤を
こぼして
しまった
んだ

はやくしろ
机が
重い！
は…
はい

ゆっくり
はなれて
ください
いててて！

中和剤が
だんだん
少なくなって
きました
バカ
もっと
大切に
使え！

何ごとだ!!
この
さわぎは！
ギャー
あっ
部長

強力接着剤をこぼして机に体がついてしまったんです
まったく年中そんなことばかりしおって！

一気にはがせばとれるだろ
いたたたやめてくださいいよ
お肉がとれる

中和剤で少しずつはがさないとダメなんです
しばらくそのままにしといた方が外へ さぼりに行かないでいいだろ！

こら！ネコなどあとまわしにしろ！
ニャーン
まだ中和剤がのこってるからだいじょうぶですよ

やっと自由の身になった！
今度はビンをとりますからそのままにしといてください！

いて！
SUP

あっ
バカ野郎気をつけろ!!
接着剤が！

やばい！
イスと
尻がついて
しまう！
バ
ツ

こら！
なに
するんだ
ド
ツ

あ!!

バカ者
はやく
とれ！
わかって
ますよ！
中川！
中和剤は！

さっき手を
うごかしたから
全部 こぼれて
しまいました
よ！
なん
だと！

こら！
ついて
来るんじゃ
ない！
私だって
ついていきたく
ないけど
くっついてるんだから
しかたがない！

このままの
状態で
いろと
いうのか！
あいたた
ひっぱら
ないで！

午後から班長会議があるんだぞはやくとれ!!
グイ
ちょっとおちついてくださいよ部長!

「スーパーセメントX」はモデラーの友人のもいっしょに通販で買ったんです
そいつの中和剤がまだあまってれば使えますから!

公園前派出所

これでラストだ
やった!とれた!

よかったですねほんの少しでも中和剤があまっていて!
あぶない所だよまた米国(アメリカ)から通販でたのむと2週間もかかるからな!
2週間もいっしょにいられるか!

中和剤がなくなってしまった以上「スーパーセメントX」はすてた方がいいな
その方がいい

中川わしの胃腸薬はどこだ!?
目の前にあります

まったく
いつも さわぎを
おこしおって!
SUPER
ゴロゴロ

胃かい・・・ようが
ますます
ひどくなる
一方だ!

あっ
バシャ

部長
それ!!
「スーパー
セメントX」
ですよ!
なん
だって

こら
なんとか
しろ!
だめ!!
こっち
来ちゃ!

おまえの
せいだぞ
!
すぐ
かわくから
どこにも
さわら
ないで!
来ちゃ
ダメ
だって!

あっ

うわっ
ひえええ

ガッ

し…しまった!!
あーっ!

こら! 手をはなさんか!
もう おそいですよ! くっついちゃいました!

どうするんだ これから会議だぞ!
知りませんよ 私は!

こうなったら おまえもいっしょに来るんだ!
そんなバカな! なんで私まで!

ちょっと
まってください
本当に そのままで
署に行くんです
か!!
欠席する
わけには
いかん!
このかっこうで
街を
あるくつもり
ですか!
部長

犯人護送を
よそおって
ハンカチを
かぶせたら
どうです?
すると
わしが犯人
役かよ!

どうも
不自然
だな
まるで
手品師
だぞ!

この古い
冷蔵庫
もったら
どうかしら

まあ
なんとか
自然な
スタイルに
見えますね
なんで こんな
重たい物を
はこばなきゃ
いかんのだ!

会議に行って来るからあとはたのんだぞ
気をつけて！

中和剤がとどくまで2週間かかると言ってたわね
直接連絡して直行便で大至急とりよせてもらう！

立花工務店
立花工務店

部長ちょっとストップ
なんだ！時間がないんだぞ
ぜい
ぜい
ぜい

おしっこがしたくなっちゃった！
まったく！がまんしろ！

ムリですよ〜うらの空地でしてきます！
バカ者！警察官が立ちションなどするんじゃない！
ぜい
ぜい

ニュープラム
しかたないちょっと小休止だ

いらっしゃい!

トイレはどこだ?
この奥です

荷物は外に立てかけておきましょう
うむ
ズシン

男ふたりでトイレに入るなんてごかいされるぞ
つながってるからしかたないですよ
バタッ

こら! 何するんだバカ!
そんな所に手をもって行くんじゃない!

チャックあけてひっぱり出さなきゃおしっこできないでしょうが!
なぜわしまでおまえのきたない物をさわらなきゃいかんのだ!

ズボンとパンツをいっしょにおろして用をたせ
まるで小学生みたいだな

終わったか!!
もうちょい!
ジョロジョロ

あっ大変!
今度はどうした!?

ウンコの方もしたくなってきちゃいました!
バカがまんせい!

だってもう出口まできてるん…
だめだ!だめだ!止めろ!

トイレにいるから悪いんだ!出るぞ!
ガチャ
ちょっとまだパンツはいてないんです

部長冷蔵庫は?
もう よそう!つかれすぎて署まで体力が もたん!

何も もって いないと さすがに 目立つな！
中年の男が 手を つないで あるいてる姿は 100％変態ですよ！
そうだ！ 部長 おどりながら あるきましょう
なに!?
こうやって ダンスの練習 しながらなら 不自然じゃ ないでしょ
ワンツースリー ワンツースリー

よけいに 目立つ だろうが！ バカ！
ポカ
あいた

自分の手で なぐられて しまった…
あ!!
ギッ

両さん！ お昼から ずっと 雀荘で まってるのに なぜ来ないんだよ 今日にかぎって！
な なに ねぼけたこと 言ってるんだ 私は知らない！

こうして いっしょに 行動してると おまえの うごきが よくわかる
だれかと 人ちがい してるんですよ ホント！

そうだ!おまえその自転車をかせ!
いいけど
自転車で行く気か!?
その方がはやいでしょうハンドルの上に乗ってください
おい本当にだいじょうぶか!?
重い荷物を積んだと思えばだいじょうぶです
前が見えないから部長!さしずしてください
よしわかった
出発!!
おっなかなかうまいな!
私は自転車のプロですからね
あぶない前方に障害物だ!!
右によけろ!

うわっ
ちゃんと右に よけたのに!!
バカ者 わしの方向で右だ!

おまえは こぐだけで いい! ハンドルは わしが うごかす
はじめから そうすりゃ よかった!

坂に なってるんだぞ もっと スピードを 落とせ!
おい! 両津!?
進入禁止

さっきから 考えてたんですが…

ブレーキを どのように かけたら いいンすか!?
なに!!

こらあ 止めろ!
だから ブレーキが…!!

下は階段だ!!
ぎえええ

ぐわあ
ぎゃあ

つぎの日
夏

いやあ まいった! 会議もふたりそろって出席だからね!
彼は以前から勉強のためぜひ班長会議を拝聴したいと言うのでいっしょに連れて来ましたとごまかしたりして…
消火器↓

何にしても中川のおかげで35時間で中和剤が とどいてよかったですね部長
トイレ・フロ・食事… すべて おまえといっしょの行動だからな 最悪の一日だったまったく!

だいたいおまえが
こんなわけの
わからんものを
だな…

なんて
ことを
するんです
部長!
こら!
こっちへ
来るな!

大バカ者!
はなれろ!
気味悪い顔
近づけるんじゃ
ない!
いたたた
ひっぱらないで
中川!
中和剤を
はやく
しばらく
このままに
しておこうか!
少しは仲がよく
なるかもしれない!

★週刊少年ジャンプ1987年37号

ひょうたんから10億円の巻
DINER
COFFEE

タニノハヤテ こいつは はずすわけにゃ いかん!
両ちゃん
両ちゃん
しかし ナナコロビも すてがたい… うーむ
ここは 特券を あきらめて…
ガコ
いて!

さっきから なん回も 呼んでる のよ!
いてえな! ぶつけること ねえだろ!
少ない脳を フル回転 させてる時 ショックを あたえるな! パンクするかも しれんだろ!
電話よ はい!
もし もし 両津だが!
またかよ なんだ!?

土地を売ってほしいだと? ねぼけたことぬかすな!
どこにそんな土地があるんだ? なめてんのかおまえ!

ないものは売れないんだよ! え!?
ほかには売らないでくれ!? 大きなおせわだ!

ふざけやがって!!
また不動産屋ですか?

今月に入ってこれで5件目ですね
まったくだ!
なんでわしの所にくるんだよ!

浅草の実家のことじゃないですか?
あそこは一応老夫婦が暮らしているからな! 売るわけにゃいかんよ

うむ! まてよ!
ほかに土地といえば…

ダッ
今日の仕事おしまい! じゃーな!

つくだ煮
よろず屋
よろず屋
キキッ
勘吉どうしたんだい?
オヤジはいるか!!
奥で寝てるよ!
ダダッ
ガラッ
きゃあーやめてぇ~
あっ!

またエロビデオを見てやがる! たまには名画でも見ろよ
ほっとけ! なんの用だいったい!?
去年亡くなったうちのじいさん! 土地もっていたろ!
え!? 佃島のおやじか!?
そりゃまだピンピンしてるだろうが! その弟だよ!
ああ!! みの吉のことか!!
あのじいさん相当な道楽者だったじゃないか!
そういえば昔そんな話聞いた記憶があるな!
お・め・か・け・さんがいっぱいいてみんな店をもたせたと自慢していた
そこだよ!
その土地が今になって出てきたんだ!
このところ不動産屋から電話が多くてな
おそらくその土地が見つかってどういうわけかわしを所有者だと思っている!
地価高騰で業者は一等地をめぐりしのぎをけずって買いまくってるからな
じいさんの土地が都心のいい所にあるにちがいない!

場所が
よければ
なん千万円に
なるぞ!!
なに!?
なん千万円
!!
しっ
だまってろ!
おふくろたちに
知られると
まずい
あのじいさんは
一生独身
だったろ
知られると
親せき会議で
大事になる
オヤジにも
分け前をやる
こっそり ふたりで
売っちゃえば
わかりゃしないよ
!
ガキの頃から
考え方が
変わってない…
じいさんは昔
この家で暮らして
たからな!
押し入れを さがせば
土地の権利証が
出てくるはずだ
よし!
わしが小学生の
頃の通信簿が
出てきたぞ
つまんねえモン
とっておくなよ!
母ちゃんは
古い物は なんでも
とって
おくからな!
防衛食
少女倶楽部
少年漫画

あんたたち さっきから 何やってんだい!?
ちょっと 昔 流行ったワッペンを さがしてるんだ!
ちらかしたら ちゃんと元に もどしといておくれよ
わかった! わかった! ちゃんとやっとく!!
オヤジ はやくさがせよ 母ちゃん 勘がいいから 長びくとばれるぞ!
あった! これだ
じいさんが 大切にしてた 箱だ!
やったぜ! この中だ!
それ!! 権利証 ちゃん!!
しょうがねえ ミーハーじじいだな まったく!
なんだ!? この写真は!?
原節子(はらせつこ)のブロマイドだ!
下には 女性から もらった 恋文が ぎっしり! さすがプレイボーイの 道楽じいさんだ!
アルバム

浅草ストリップの
優待券
こわれた
懐中時計
古銭 それに
おなじみの
通信簿
ろくなモン
しか
出てこないな！

通信簿も
丙ばかり…
オヤジの
バカは
血筋だな！
大きな
おせわだ
！

もう一度
奥を
さがして
…
ん!?

あった！
これだ！
なに
！

でかした！
これだ！
よくやった
オヤジ！
場所は？
霞町!!
大当たり
!!

現在の麻布だぁ
まさに一等地だ！
なん千万円に
なるぞーい!!
そうか やった!!
みの吉じいさんは
えらい！

みの吉じいさんがどうかしたのかい?
なんでもない気にしないで!

わざわざおこしくださいまして恐縮です
ICHI RYU FUDO SAN
一流不動産
三光

オヤジが書類ぜんぶもって来るちょっとおくれると言ってた
けっこうですいくらでもおまちいたしますはい!

なにせ古い土地だからなどんな所だかわすれた！
はいあとで現地へ行きましょう
ちなみに土地の写真を見せましょう
ここの真ん中の10坪です

そんな中庭みたいな所に家が あったのか!?
いいえ！くわしく説明しますと
元もと道路に面していたいい土地を半分だけ売ってしまったためにふさがれた土地になってしまったのです

金にこまって半分売っちまったのか！あのじじい
一等地とはいえたった10坪で八方ふさがりの土地…こりゃ だめだ
ビックヒルズホテル計画で ここ一帯はすべて買収しのこるはこの10坪だけ！
この土地が手に入らないとビルの先端をこのようにへこまして建てるハメになるわけです！
そんなちっぽけな土地じゃいくらにもならんわ
いや！この土地が重要なポイントなのです！

なんで そこだけ 最後に のこったんだ?
さっきの写真でおわかりのように外からは まったく見えず 地図では四方いずれかの土地だろうと考えていたのです!
ところが四方を買い上げて見るとふしぎに真ん中は だれの土地でもない!!
そこで しらべて わしの所へ電話してきたわけか!?
ライバル業者に ここを買われては大変ですからね 本当にへこまさねばなりません
なるほど重要なポイントだ!
……でおたくさんでは結局いくらで買うわけ!?
ビックヒルズ計画には社運を賭けてますから 交渉でムダな時間と労力を使わぬ方針です
一発決着で社長みずからきめられた価格は…
三・三平方メートルあたり1億円!! しめて10億円で買います!!
なに10億!!!
ぜひ即断をとのことです!
売りましょう!
0.7秒で決断しました!!
ギュッ

いやあ どうも おそく なりまして!
おまちしてましたよ!
オヤジ よろこべ! あの土地が 1億で 売れたぞ!!
なに! 1億で!!
いえ 10億…
ゴホン ゴホン
あんたは 不動産のことを やってくれればいいの! 身内の会話に 口を出さんでいい!
でないと 0.4秒で 気が変わる よ!
は はい
いやあ 1億円とは すごいな!
オヤジが 来る前に 交渉して つり上げたんだ よかったな!

オレも いろいろ考えた んだけどよ やはり じいさんの遺産は 山分けしちゃ まずいよ
あの土地の お金で 墓を新しく してあげる べきじゃ ねえかな!
そのことは わしも考えて いた! ぜひ墓を 建てよう!
そうか! おまえも そう思った か!

人の道として当然のことだ！親せきで話し合い1億円を有意義に使うべきだ！
勘吉!!おとなになったな！
じ〜〜ん
不動産屋のきみ!!きみも それが人の道だと思うだろ!!
ね!!
は はい おっしゃる通りです
じゃ ここと ここに ハンコを おねがいします
オヤジ！ちょっと わしが書類たしかめるから！まって！
金拾億円
甲は乙の丙で
ピタッ
金 億円
乙の丙で
OK！ここにハンコひとつ！

これで商談成立！めでたしめでたし
はは まったく…
・・・1億円は まず わしの所へもって来なさい！
それから わしから・・・オヤジに 1億円 わたすから！そこん所 わすれぬように！

じゃあ私たちはこれで!!
くれぐれも・・・1億円はよろしく!! 私 敵にまわすとおそろしい男だからね!
本当におそろしい…
9億もひとりじめするとは…

数日後―
ブォオオオム

くっくっくっくっ

よもやこの机の中に9億円の小切手がかくしてあるとは思うまい
くっくっくっくっ

絶対この小切手をなくしたり燃やしたりやぶいたり犬に食わしたりさせないぞ!
なにせ今回は9億円だからな

むざむざ貯金するのはもったいない! この金を元手に何かでかいことやりたいな!
9億かけて特注したロールス・ロイスのリムジンを土曜の夕方洗車して「パパ明日はドライブだね」と言わせてやろうか!!

9億でマドンナを個人的に呼びカラオケ・スナックで「東京ブルース」を歌ってもらうという手もある
来てくれるはずがないか…
やはりここは堅実に北松戸あたりにマンションでも建てるか…
あるいは都心のマンションをなんか所か購入し人に貸し家賃で暮らす方法もある！
RYOTSU

いや！いかん！いかん！
でかいことするはずが逆になってしまった！

株をやるか！
しかしあれは頭を使うからな…
しからば馬!!

そうか馬だ!!馬主になろう！
9億円の名馬ならいっぱいかせいでくれるぞ！

うーむわしの目にかなう馬はおらんな！
どいつもこいつも！根性のねえヤツばかりだ

おっこいつは!!
英国の名馬ダイアンオークションへ!!

英国馬か
さすがサラブレッドの本場だ！
いい面してやがる！強そうだ！
オークション

ダイアンですか！その馬？
知ってるのか中川？

イギリスの友人に競馬狂がいましてね 今度のオークションでほしいと言ってますが… 200万ポンド(約5億円)の値がつくでしょうね！ 今回の目玉ですよ
父がダービーを制した名馬リチャード号 血統がすごいですよ！

そうか！そうか！わしの目に狂いはなかった！
やはりすごい馬だったんだな!!

いい馬だけに値の方も…
中川ちょっと話がある！

えっイギリスに！

バカ！大きい声出すな！ばれるだろ…
しかしなんのために…

イギリスがどうかしたって!?
いえ！ちがいます！・・・キリギリスです！

キリギリスみたいに遊んでるといけないなぁという話…
それはおまえのことだ!!

急に行きたいと言っても電車で行けるわけじゃないんですからね！
そこをなんとかしろ！わしもオークションに行く！

ひとりじゃ心配だから知りあいの添乗員にたのんでいっしょに明日の便で行けるようにします！
さすが中川くんたよりになるな！

成田空港へ60分
Narita Airport
Keisei skyliner
京成上野駅 KEISEI UENO STATIO

なぜ
そんな所に
行ったんだ!
あのバカ!
聞いても
言わないん
ですよ!
何か競馬馬の
オークションに
行くとかで…

あいつには
明日食べる
金もない
はずだ!
そういえば
気になる
電話が
入ったのよ

きのう両ちゃんの
お父さまから
両ちゃんが9億円
着服してる
疑いが
強いから注意
してくれって…
なん
だと…

冗談
だと
思っていた
のだけど…

あいつめ!
何を
たくらんで
いるんだ?

両津さんが
テレビに
出てます
けど…
なに!?

英国の名馬オークションで目玉ともいえるダイアン号が最高の値をつけました！
買ったのは日本人の警察官です!!
CNM

ダイアンは2千万円からスタートしましたが直後いきなり9億の値がつきました
これに対抗する人はなく結局2秒で日本人の手に落ちました！

金は10兆円ほどもって来ましたが…9億とは実に安かった！
ダイアン号で日本の競馬界を荒らして見せますよほっほっほっ
Mr RYOTSU JAP

…と語る両津巡査長ですが！
あまりの強引なやり方に伝統を重んじるイギリス人にひんしゅくを買っています
JAP GO HOME!

この所 世界中で日本人が大金をはたき美術品を買いまくるという行為が批判をあびてますがますます風当たりが強くなるのではないでしょうか！
日本のハジだ！あいつが海外に行くたび日本の評判が落ちていく…
CNM

★週刊少年ジャンプ1987年33号

やっぱり、麗子(れいこ)は
こわかったの巻(まき)

さゆり保育園
葛飾

あったわ！
またあの
車ね！
さゆり保育園
ブロロロ

違法駐車の
常習犯よ！
キッ
リーザちゃん

横断歩道の真ん中に止めるなんて図ずうしい!
スピーカーで呼びだしてみます!
そうして!
保育園前に止めてある足立ナンバー6・3・9
ただちに移動してください
おれたちのことだ!
まったくうるせえなあ!
点数もねえことだし行ってやるか!
赤レンガ
COFFEE

何か用スか!?
ここに止めておくと子どもたちが車のカゲになってあぶないわ
第一ここは駐停車禁止よ!

べつに駐車じゃないスよ

ザッ
故障中

この通りこわれちゃってうごかないんスよ!
故障中

どうしても移動しないのね
故障だからしょうがないでしょ!

勝手にどかしてもいいのね!

どうぞ!!うごかせるものなら!

どうやってうごかす気麗子!?
あ・れ・を使うのよ!

なんだい
そりゃ!?

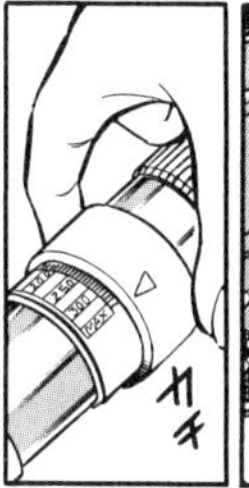
カチ

本来はジャッキアップ用ボンベだけど……

レベルを上げるとどこまででもふくらむわ!

へ!?

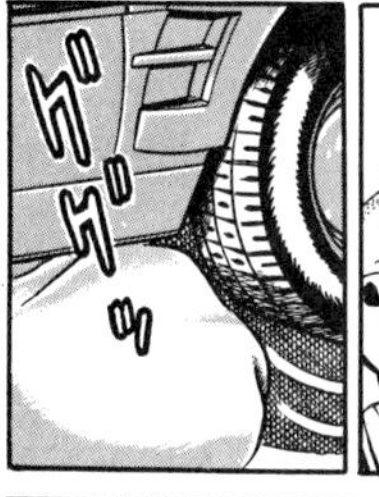

おい! こら!
よせ!

ざんねんね 一度 空気を入れたら もう止まらないのよ
なんだって!?

こうして横に
駐車してくれれば
ジャマに ならなくて
たすかるわ！
くそ〜っ
人の車を!!
なめや
がって!!
きゃあ!!
うわっ

わあっ
てめえ!
女のくせに!!
あれ!?くそ!!
フットワークのいい奴だ!
ちいっ!
あっ
うお!?
おっ色っぽい脚!!

恐ろしい…脚…だ

おほほほ！
つい本気だしちゃったわごめんなさい！

駐車違反の罰金1万円に値上がりしたのよ！よろしくおさめてね！
ブロロロ
バイバイ

くそくっ このままじゃすまさんぞ！
まったくだっ!!

まだ暴走族がいたのよ！信じられないわ！
天然記念物ものだぞ！サインをもらっといたほうがいい！
すでに全員撃滅したと思ったがな
ネス湖の恐竜みたいにたまに姿を見せる！
いくらとりしまってもキリがないわ

麗子大変よ！
え!?
これ見て!!
ひどい！
この顔みたら一一〇番
ドブス警官!!

街中にはってあるわ！こないだの連中よ！
もうなんてことを！
ぷ…けっさく

なんですって!!
あっごめん真剣に怒ってるのか!?

パッ
あっ!!
ようブス婦警!
ざまあみやがれ!!
こらあ!やり方がひきょうだぞ!
くそ!逃げ足がはやい!
ブロロロロ
ははは
ブオン
ブオオオオ
あっ麗子!!
警視庁

キキーッ
本田(ほんだ)
麗子を
追えっ!!
OK!!
ブオォム

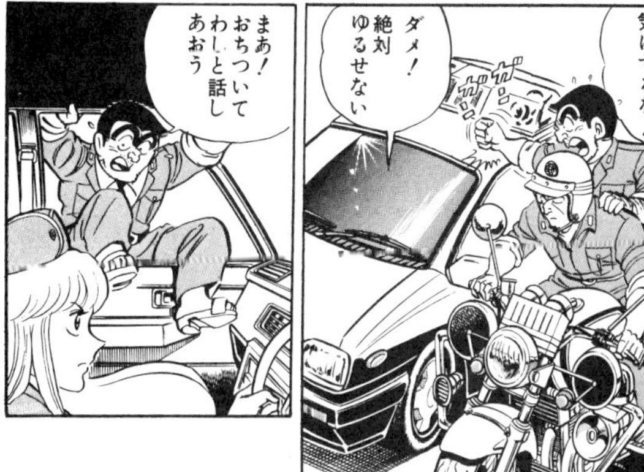
おい麗子!
あんな
やつら
気にするな!
ダメ!
絶対
ゆるせない
まあ!
おちついて
わしと話し
あおう

きゃあああ
白鳥三丁目
ドギャン
女は感情でうごくからな!もう止められないぜ!
おまえの気持ちはわかるがおちつけ!
ミニパトはわずか550 ccの軽自動車だぞ!
2,000 ccのあいつらに追いつくはずないだろうが!!
シートベルトしめたほうがいいわよ
おい!!スピードだしすぎだ!!
カーブまがりきれないぞ!!
ビィイイイーン

ガツ
ぐわ
ぎえー当たる!
ギャ
ググ
グン
ぎょえー!!
ガリ
ガリ
ガリ
#スナール
だから
シートベルト
したほうがいい
と言ったでしょう!!
運転の
仕方に
問題が
ある!!
ただの
婦警じゃない!!
すごい腕だ
追ってくるぞ
軽で
あそこまで
やるとは
すごい
テクニックだ
ガオオオオオ
葛飾

高速に逃げこもう! あの車じゃ高速はムリだ!
レーサー並の走りだぜ このままじゃ本当にやばい!

高速にはいられたら完全に追いつけないわね
だからあきらめよう!!

Audi
BENZ
BMW
サファリ優勝 アウディ
Audi
あきらめない! 車を変えるわ!
キィ

このアウディすぐ走れるかしら?
そりゃもう! レースに出場する気ですか? おじょうさん ははは

そのつもり!! ぜひ買わせて!!
えっ そういわれましても展示車ですので…
以前ラリーに使用された大変貴重な車で…

時間がないの! 小切手でいいわね!
だから値段が高いから…
ポン

ぎょえ!! 2,000万円!!
小切手
¥20,000,000
売ります!

ミニパトのかわりに後ろから変な車が追って来るぞ
なんだと!!
あっさっきの婦警だ!!
車を変えやがった!!

OK!!ガソリン満タンになったわ!!
ブロロロ
よし
45リッターで4,700円くらいだな!つりはいらんよサンキュー
ど…どういたしまして…

ここまできたら…やけだ!!全面協力してやる!
ようしとばすわよ
うおすごい加速!!

たかが写真であんなしつこく追って来るとは!
女が怒ると恐ろしい!
気づくのがおそかったわよ!!
ぎゃあ
ズ
くそ!!つかまるものか!
あっ
逃がさないわよ!!
ちょっとまて!!
高速道路を逆行するな!!
ぎゃあこわいっ!!
ブロロロ
パオオオ
人工スキー場
一年中スキーの楽しめる
人工スキー場
ファミコンのドライブゲームより迫力あるわ!
ゲームオーバーになりたかない!

スキー場入口
お客さん車ごとはいっちゃダメ!!
ブオオオ
大人2時間2,000円
1日券6,000円
ズザ

きゃあ

車がはいってきた!!
ブオオオオオオオ
うわ──っ

シャコタンじゃ雪の中はムリだ
うわ!!すぐ真うしろに!
ドガ
うわっ!!

ぎょえっ

ドドシャッ
ひゃっ!
バッ
ドロロ
ぎゃあ こわい! たすけて くださーい
ゆるして くださ〜い!!
グィ グィ グィ グィ
大ジャンプ台 90m
うおっ
なんだ あれは?
ブロロ
グィ
グィ
うわっ
うわっ うしろから おされる!!
グィん
グィん
ひえっ

★週刊少年ジャンプ1987年29号

名幹事両さんの巻
CALIFORNIA
PIY707

ヴオオオオム

シュッ
シュッ

よし
完成だ!!

何作ってるんですか!?
パンダの人形だよ!
きょう中にあと50個作らねばいかん!

ゴールデンウィークで観光地は人でいっぱいだからな
動物園の前でこれを売って銭もうけするんだよ
人が遊んでる時にこそかせぐのが商売の道と言うものだ!
すごい商魂だ!!

自動券売機

手作りの木彫りパンダ これはめずらしい!!
デパートでも売ってない品物だ!! こいつは!!
ガヤ
ガヤ

なんと！前に　たおすと目が飛びだす！
ニョキ

うちの店だけのオリジナルの品だ！
本日かぎりの大特価一匹わずか500円！
パンダ人形
パンダ風船

ひとつください
へいまいどありへい！
ふたつください
私も！

さすが連休だな！飛ぶように売れるな
在庫が切れてきた！

ちょっとおまちください
ただ今商品すべて売り切れです

まさかこんなに売れるとは思わなかったよ
ギーコ
ギーコ
ギコ
原材料は現地調達でどんどん作ろう！

製品のほとんどが技術料だからな!
原価なんてタダみたいなもんだ!
ギーコ
ギーコ
はいできたてのトントン!500円!
わあうれしい!
コアラも作れますか?
え!?
作れますよ!

はいコアラちゃん!500円です
キャーキャー
ぼくも作って!
ぼくライオン
あたしはキリンさん
ぼくはゴリラ

この紙に順番に書いてね!作ってあげるから!
なんかあめ細工の職人気分だな

この場所で勝手に商売やってはいかん！すぐ中止しなさい！
うるせえのがきやがったな！
派出所でも地理案内でもしていろ！山崎！
ドキ
どうして私の名を!?
あっ!! よく見ると葛飾署の両さん!?
そうだよ！

おまえが先日キャバレーでどういうことしたか情報がはいっているぞ ここで大声で話してやろうか!?
そ…それはまずい！かんべんしてくださいよ！
山崎巡査長中止させないのですか!?
ばかもの！ちゃんと許可とってるんだ！営業してよろしい！

じゃあ!! 商売がんばってください！
うむ！おまえもまじめに勤務にはげめよ！
さあコアラおまちどうさま！
つぎはライオンだ！

やったぜ！大当たりだ！
ビシッ
見ろ！光輝く一万円札！
あのパンダがそんなに売れたの？
そう！大ヒット商品だ！

明日までに500個作ってまた売りにいく今夜は徹夜だ
派出所の残業手当より金になるぜ！ははは

工作は得意だものね
小学生の頃からエンピツ見るとすぐトーテムポール作ったと言ってたよ

技術もさることながら口先だけで売る売り方の才能がすごいんだ！
まさに「芸は身を助ける」ね！

さあ らっしゃい!
上野(うえの)名物 パンダ人形だよ!
たこやき
そば
ひとつ ください!
へい まいど 500円です!
動物園
ましょう
売り上げが全然のびないなくそ!
ガヤ ガヤ
パンダ人形
パンダ風船
ライバルがふえてきて共だおれの危険がでてきた

きょうが連休の最終日で売れ残ったら 大変だからどの店も必死だ
わしの所もこの状態じゃあと300個さばけそうもないな!
場所を変えたほうがいい!東京ディズニーランドでもいくか!
ミッキーマウスの人形に まぎれてどさくさに売ってしまおうか!

おしゃれなディズニーランドの前で売ってるとかなり目立つな!すごいアンバランスだ
警備員がだまっちゃいない気がする…
どんな品物を売っても不自然じゃない場所!
よし! あそこしかない!

原宿駅

今アメリカで大ブーム！パンダのトントンの木彫り人形だ!!
原宿名物はパンダしかない！君も買って友だちに自慢しよう！
今！日本列島が大フィーバー！パンダのトントン大人気!!
TV放送 週刊誌で話題爆発！
1コ 500円

お嬢さんひとつどう!?

くそ!!汚い物を見るような目をしやがった！
ちくしょうめ！

だめだあ!!
大赤字だ!!

こんなにあまっちゃったんですか!?
調子に 乗って作りすぎた! 金が一円もなくなってしまった

初めにもうけたお金はどうしたんですか!?

量産するため木工用の工具機など設備投資しすぎた

ちゃんと売り上げを読まないと…
今となってはあとのカーニバルだ

すてるのはあまりにももったいない

パンダ（トントン付）
ひとつ 100円

こうしておけばわずかでも売れるかもしれんからな…

何か ほかに
もうけ話は
ないかな？
ピンときたら110番!

なんだ!?
こんなに
安く
泊まれる
のか!?
1泊
1500円
日本一安い旅館

スキー場など
オフシーズンは
安くして
いますからね
そうか

雪が なけりゃ
ふつうの旅館
だからな!
それにしても
安いなあ!
う～む
とにかく
安い!
いくら先輩が
安い物好きでも
泊まりに いくわけに
いかないでしょう

いやあ
おはよう
おはよう
ございます
!

夏の旅行の
幹事を
たのまれて
しまってな!
まいったよ
それは
大変
ですね!
そこが
幹事の腕の振るい
どころですよ!
いかに安く そして
楽しくできるか!
100
かける
1,500
円は…
まったく
そのとおり
だ!!
近頃は
一泊7,000円くらい
とられる
からな…
交通費をふくめ
100人で90万円じゃ
ギリギリだよ
ピク

一泊1,500円のここに泊まれば100人でも15万円で上がるぞ!
交通費と酒代を切りつめれば50万くらい金が浮かせるぞ
1泊1500円
日本一安い旅館
1,500
×100
150000
15万円
このパンフレットの山からホテルをさがさないとな!
日光
部長!
よかったら私が その幹事の役目をひきうけましょう!
箱根
熱海
目的はなんだ!?
ドキッ
え!?
おまえが進んで幹事をやるなんて何かある!
何を言うんですか!!
ただでさえお忙しい部長にこれ以上負担をかけさせまいとする かわいい部下の思いやりじゃないですか!
それを下衆な勘ぐりするなんてあんまりですよ!
それじゃたのむとしよう!
さすがにするどい読みだ…
観光ガイド
トン
LOVE YOU

やったぜ一泊1,000円という旅館があった！
安く泊まれる旅館ガイド 5000円まで
全国国民宿舎
昭和62年度

まさかバンガローに泊まる気じゃないでしょうね
心配するな！ちゃんとした旅館だ！
ピッ
ピッ

もしもし！一泊1,000円の旅館ですか？はい！
100人の団体ですがもっとまかりませんか？500円くらいに
せいぜい950円だって!?なんとか安くならないの？
えっ朝夕食ぬきの素泊まりだと500円でいい？本当!?

めしぬきで結構！500円のにしてください！はい！
領収書は真っ白で…
いったいどんな旅行になるんだろう？
いやあ！さがせば安い所があるもんだ！よかった！よかった！
これで大幅に浮いたぞ！

おまえたち
旅行会は
学生服
着てこいよ!
え!?
なんですか!
それ!?
交通費は学割で
買ったからな!
全員学生ってこと
になってる!
近所の学校の
旅行で
キャンセルが
あってな!
まとめて100人分
わしが買った
んだ!
インチキじゃ
ないですか
それは!

バカもの
「頭がいい!!」
と言え!!
安売りの
キップより
学割が
世界一安い
のだぞ!!
ケチケチ旅行
となると
宴会は
当然カット
ですね
宴会が
なくて
社員旅行の
楽しみがどこに
あるんだ!?
宴会用の
酒は すでに
こちらに
キープして
ある!
ガチャ
持ちこみ
ですか!!

しりあいの酒屋の倉庫に眠ってた品だ 10年前の物だから すべてタダでくれた!! タダ酒はうまいぞ!
食事は すべておにぎり バス・タクシーなどつかわず すべて歩き!
しめて100人分 一泊二日の旅行 費用総予算は…

なんと6万円!!
見たか! 私の名幹事ぶりを! 天才的だろ!
84万円もあまって…
シャラアップッ!!
不思議なことに領収書ではピタリ90万になっている
先輩!! 着服する気ですか?

大声をだすんじゃない! バカ!
世間の皆様が誤解するだろうが!
ボガ
今回の旅行で多少あまったお金は幹事であるこの私が報酬としていただく
ぐっ
多少の金額じゃありませんけど…

映画のプロデューサーは決められた金額でいい映画を作るのが仕事だろうが!
予算内で作れて映画がヒットすれば名プロデューサーと言われるだろ!

旅行も おなじ この予算でみんなが楽しめればどこに文句があるのだ
楽しめますかね…この旅行で…

このわしが楽しませる!
つまらないなどとほざこうものなら鉄拳パンチが飛ぶ!

いいか このことは秘密だぞ 他言するなよ!

部長に聞かれても黙ってろよ 絶対!!
ちょっとウンコしてくるからな!

一泊500円の旅館てどんな所だろう?
わたしセーラー服着ていくの?やだわ!

なるほど!こういうわけだったのか?
あっ!!

しっ わしがきたのは秘密だ
おおかたこんなことだろうと思ってたよ
よくまあこんな安い所見つけたものだ…
安く泊れる旅館ガイド
92
自分の金になると思うと必死ですからね!

わしがこっそりこの旅館をキャンセルしてプリンセスホテルに予約をとり直す
えっ!! あのホテルは一泊2万円以上ですよ!
かまわんよ オーバーした予算は名プロデューサーとやらにまかせることにしよう
なるほど! 予算は心配するなと言ってましたからね

いっそグリーン車をつかったらどうですか?
いいな! 宴会も大広間を貸し切りにしよう
しらぬは本人ばかりなりね!
プラザ

★週刊少年ジャンプ1987年23号

おなじ警ら係の
真平というヤツが
ひょんなことから
FZR1000を
買ったんだよ！
1Lバイク
ですか!?
すごい
ですね！
恋はタンデムの巻

来週の日曜日
そのFZRで
彼女と河口湖へ
ツーリングに
いくんだ！
ところが
ひとつ
問題が
あってな！
え!?
なに!?

なんで
バイクなんか
買ったん
です!?
以前から
「オレは走り屋だ」
とか ふいてた
らしいんだ
たまたま
デート中
バイク
ショップの
前で…

そいつは
自動二輪の
免許を
持って
いない！
ちしきのみ！
ドタ

ＦＺＲ1000か！
輸出仕様で
135馬力の世界
最速マシンさ！
すごーい！
真平さんも
これに乗れる!?
YAMAHA

もちろんさ！
750にそろそろ
あきて きた頃
だからね！
ようがす！
円高還元で
まけましょう！
きゃあ！
買ってぇ！
ツーリングに
いきたい！

その時の
勢いで
買っちゃったん
ですか？
その人！
そう！
女に
たのまれると
弱いヤツ
だからな
ただでさえ
車のローンがあるのに
バイクローンが ふえて
ローンのがんじがらめ
だ！

そこで 本田が
身代わりに運転して
くれれば 万事解決
体型も似てるから
メットで顔をかくせば
相手も気づかん
えーっ？
でも
しゃべったら
すぐ ばれて
しまいますよ
その心配は
ない！

わしが
作った
メットを
見ろ！

本日は
晴天なり！
あれ!?

一見 タンデム用
スピーカー内蔵
メットだが 外部で
モニターできて
こちらの声もでる
すぐれものだ
すごい!!
キミは だまって
バイクを運転する
だけで一日一万円
もらえる!
夢のような話だ!!
よし!
決まったね!!
先輩八万円で
真平さんから
ひきうけて
本田さんには
たった一万円
だって!
本当に
悪徳商人
ね!
ツーリング
当日――
本田
バイクの調子は
どうだ!?
5,000キロほど
走ってきたが
悪くない!
だんだん調子が
でてきたぜ!
ドオオン
この人
バイクに
乗ると人間
変わっちゃうん
ですね
そうよ!
280キロの
メーターを
ふり切るかも
しれんぞ!
高価な新車
なので
あまりムリは
させないで
ください…
ローンがあと
35回…
わしに
言っても
しらんよ

そろそろ時間だ彼女を連れてこい!
ははい!
きょうのツーリングとても楽しみにしてたのよ!
ボクもだ一子ちゃんほらメットをつけたまえ!
きゃあすてき!
ツーリングしながら会話が楽しめるタンデムメットだ!
やさしいのね真平さん!
ちょっとまっててガム買ってくるから
うん
あとはおねがいします!
よし本田の出番だ!
あらはやかったのね!
MAT TAIRA
YAMAHA
Coke

うわあ
すごい
音！
いったぞ
追え!!
ひき
はなされるん
じゃねエぞ！
YAMAHA
FZR
mazda
RX-7

ギャギャギャ
ゴォォ
パッ
すごい！真平さんスポーツ万能ね！
すごい加速だったわ！
ドキドキ
ドキドキ
ドクゥ
しびれちゃったわあたし！
ははは だから走り屋と言ったろ！
でも…新車だからちょっとはかげんしてほしい…
えっ⁉何が！
いや！なんでもないひとりごとだ！
さあ！信号が変わる！しっかりつかまって！
はい！
追え‼真平‼
はやすぎますよあの人‼

そろそろ
お昼だ！
おなかが
すいたかい？
うん
少しね
じゃ
ドライブイン
にでも
よろうか？
ドオオオオ

前の
ゲローズに
止まろう！
ゲローズ
だよ！

キィ
OUT
OUT
FZR
ブオオム

ERo'S
YAMAHA
FZR
ドオオン

真平 急げ
すり変わるぞ！
バタッ
バタッ
まったく
忙しいな

いてえ
ドン
悪い！
急いでるんだ！

なんだ！
そのあやまり方は！
グイ
あっ！

やるか！
てめえ！
おいおい！
真平！
ケンカなんかしてるヒマねえだろ！

ねえ
どうしたの
真平さん!?
はやく
お店に
はいりましょうよ！
キョロ
キョロ

ねえ
はやくったら！
グイ

いらっしゃいませ

ふたりですけど!
こちらへどうぞ!

おいしそう! 何にしようかな?
GERÔ'S

ねえ真平さんもうヘルメットはずしたら!?
みんな見てるわよ!
GERÔ'S

えっ!? ボールペンですか?
GERÔ'S

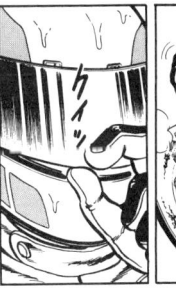

?

へぇーっそういう理由があるんだァ
コックリ
GERÔ'S
走り屋は気を引きしめる為たえずメットを着用せねばいかんのです

ピクッ
ひと言言ってくれればいいのに!なぜ急にだまっちゃうの!?

ふーん
走り屋は速い為風でのどをやられ、声が出なくなるケースが多い!
MAT TAIRA

まったく口ほどにもない連中だ!
まったく口より手のほうがはやいヤツだ!デート中なんだぞおまえは!

そうだ!いけない!一子ちゃん!?
もうとっくに店にはいっちまったよ!はやく会話をしろ!

ねえ!何か話してよ!
やあごめん!一子ちゃん!
ねえ おねがい!

両さん!こっちの声聞こえてないみたい!
うーむ 一晩で作ったから故障したか!?
ねえ!
ねえ!
TAIRA

本田をさがすんだ はやく!!
あいつひとりじゃやばいぞ
MAT TAIRA

いた！あそこだ！

いいか
こうしよう
……
なっ！
その間に
わしは
機械を
直す
よし
わかった！

おまち
どうさま
スパゲティーと
コーヒーです
どうぞ
ごゆっくり

どうしたの
真平さん？
はやく
食べないと
さめちゃう
わよ

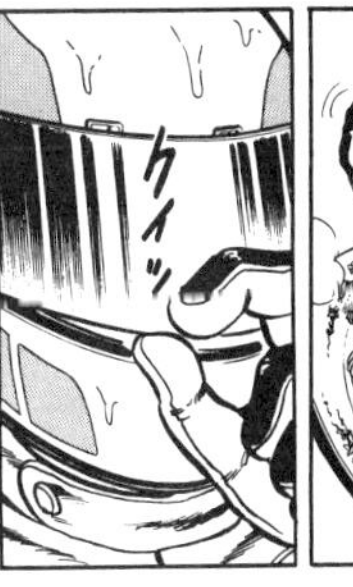
クイッ

チュル
チュル
器用な
食べ方
するのね

ゴホンゴホン
ゴホン
だいじょうぶ!? コーヒー飲めば?
ドンドン

あつ!!!!
ひっ!!!!
何やってるのよ! もうやだ!
!!
ガチャン

ヘルメットぬいだら

ヘルメットは走り屋の命よ!
あ!!

やっと声がでるようになったのね!
心配かけてすまなかった! これはオレ自身にも言える!

本田という男に会ったらこう言ってくれ
バイト料二万円やるからたえろと！
え⁉

なんのこと⁉
なんでもないさあそろそろいこうか
出発だ！
ガタッ

バイクがあるからまだ近くにいるはずだ
いた‼赤と白のつなぎ‼あいつだ‼

ようまちな！
さっきはよくもやってくれたな！
ズイ…

よしやっと直ったぞ
あっ！

さっきのヤツらが仲間連れてきたぞ
まったく！なんて間の悪いヤツだ！

女なんか
連れやがって
この野郎

よけいな
お世話だ
この
デブ野郎！
なんだと!!

気にしてる
こと言いや
がったな！
やるか！
このブタ！
上等だよ！
相手に
なるぜ！

だまれ!!

始まったな
よし！
いくぜ！
バカ
おまえが
でちゃ
いかん！

あの人に
悪いこと
したな
挑発しちゃって
……
これも
運命と
あきらめて
もらうしか
ない！

あれは おまえ
なんだから
でたらふたりに
なってしまう
だろ！
あっ そうか
いけね！

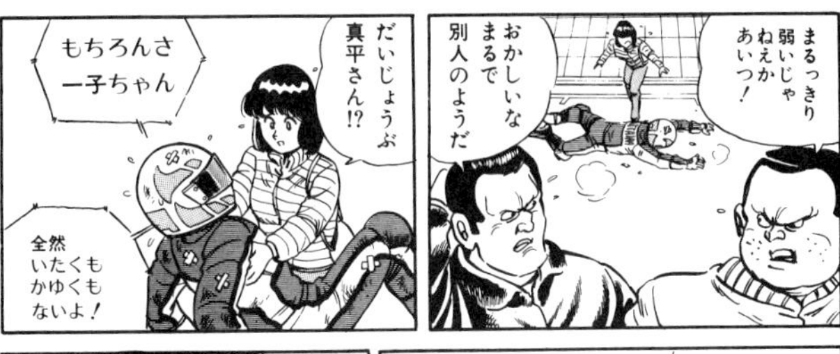
まるっきり
弱いじゃ
ねえか
あいつ!
おかしいな
まるで
別人のようだ
だいじょうぶ
真平さん!?
もちろんさ
一子ちゃん
全然
いたくも
かゆくも
ないよ!

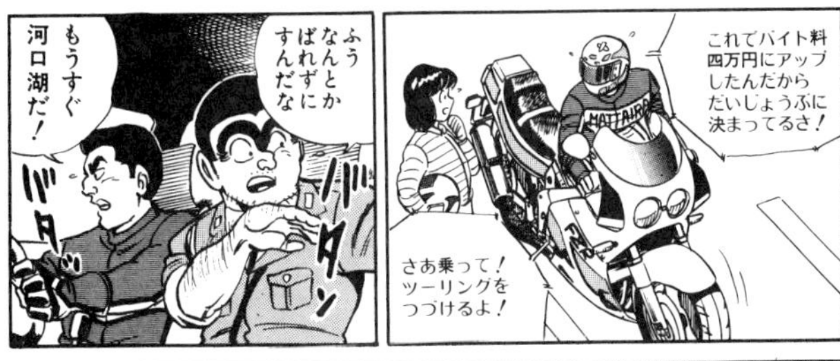
これでバイト料
四万円にアップ
したんだから
だいじょうぶに
決まってるさ!
さあ乗って!
ツーリングを
つづけるよ!
ふう
なんとか
ばれずに
すんだな
バタン
もうすぐ
河口湖だ!
バタ

さあて
あとは無事
東京へ
かえるだけ
だ!
ビイイイン
めでたし
めでたし!
あっ!
ガガ
ボボボ
プヒュラ
プヒュラ

さっきのドライブインの連中だ!!
なんだって危険だ!!

おい! あのつなぎさっきのヤツだぜ!
へへまたいためつけてやろうぜ!

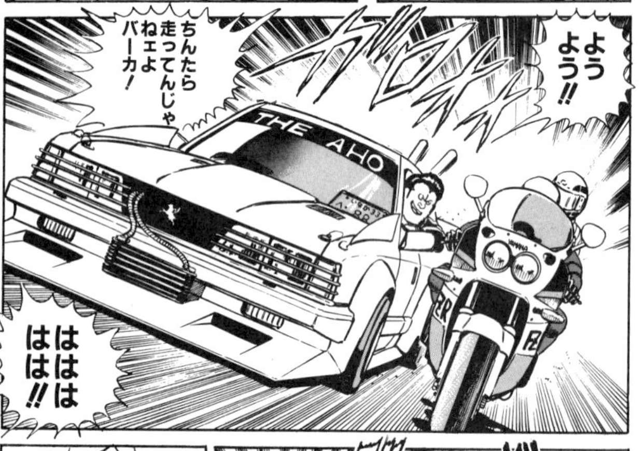
ようよう!!
ちんたら走ってんじゃねエよバーカ!
THE AHO
ははははは!!

こけやがれ!
ぎゃあ鼻が折れた!
あの野郎!

しっかりつかまってろ!!
はい
逃げたぞ!
追え!ぶつけろ!!
ぐおっ260キロを超えてるぞ!
バカ野郎!車よりはやいバイクがあるか!
追え!
ムリだ!280キロちかくでてるよあのバイクは!
ばけものだあのバイク!!
ぎょえええ高速カーブが!!
ぎゃああ!

道路でバイクがたおれてたらどうしよう?
まず心配ないと思うよ!バイクに乗っていれば本田は天下無敵だから!
ほら!見てみろ!
えっ!?
バカ野郎バイクに負けやがって!!
300キロ近くでるなんて怪物バイクだフェラーリでも勝てないよ!
チューンに500万円もかけた愛車がバラバラ…うえ~~~ん
なっ!バイク+本田なら暴走族なんか相手じゃないよ
うーむさっきやられてた人とは思えんな…
スピードだして悪かったな!こわかったろ!?
ううん!最高!
デートのほうもボクのでる幕がなくなってきたよ!まいったな!

約束の四万円だ! おつかれさん!
もう まいりましたよ
いつばれるか ハラハラしちゃって…
あっ 真平
いやあ 本田くんに また たのみが あるんだ

彼女すっかり ツーリングが 気にいっちゃってさ 来週 北海道までツーリングする 約束したんだ また身代わり たのむよ!
もう いやですよォ! 心臓に 悪いから いやだ~~~!!
まあまあ 本田くん! ここは ひとつ 私が中に はいって マネージメント してあげよう!

★週刊少年ジャンプ1987年13号

部長の「我が人生」の巻

ギギイ
派出所に到着!!

ブレーキパッドとり変えたばかりなのに制動距離が長いな

署に言って備品でタイヤ2本買ってもらわねばいかんな
おはよう両ちゃん

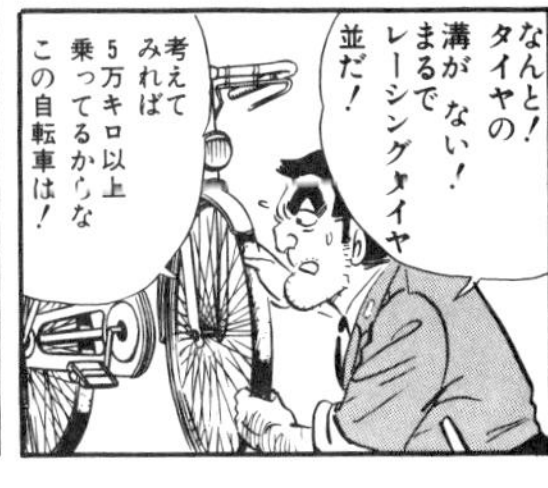
なんと！タイヤの溝がない！まるでレーシングタイヤ並だ！
考えてみれば5万キロ以上乗ってるからなこの自転車は！

なんだ
それは!?
友人から
いただいた
「我が人生」の
ビデオテープよ
その人の半生が
このビデオに
おさめられて
いるの
へえ!
友人のお父様が
還暦を むかえて
その記念に作って
プレゼントしたん
ですって!
そういうのを
企画・制作
してくれる
会社が
あるのよ
いろんな商売が
あるもんだな!
ちょっと前までは
自分の半生を
本に まとめ
自費出版
するのが
はやってたけどな
今は
映像の
時代です
からね
ビデオカメラが
以前の
スナップ写真
代わりです
からね!
えらい
時代に
なった
もんだ
生まれた時から
ビデオカメラに
おさめられている
現代の子どもたちは
自分の半生を
フィルムで
見ることが
できますから
それを構成したら
まさに
「人生ビデオ」です
本人が六十歳じゃ
昔の姿など
ビデオで
撮れんだろ!
アルバムの
写真などを
時代に合わせ
音楽を入れ
構成したんじゃ
ないですか?

自分の一生がビデオにおさまるなんて実に おもしろいな！
先輩の「我が人生」ビデオを子ども時代から制作したら とてもビデオ一本じゃおさまりませんよ！
「両津勘吉全10巻」って感じね！
いやあ30巻にはなるな！なんといっても波瀾万丈無軌道無鉄砲無神経…
大きなお世話だ

言わしておけば何が 全10巻だ！
次郎長外伝じゃあるまいし！まったく！

わしのビデオが出たら必ずみんなが買いたがるほどすばらしい作品になる！

終戦 間もない頃浅草は千束でオギャアと産ぶ声をあげた玉のようなかわいい赤ちゃん！それが勘吉くん！
佃煮屋の長男坊としておさない頃お坊っちゃまと呼ばれ町内中で 評判の美男子！

幼少の頃は
メンコ・ビー玉
ベーゴマなど
勝負ごとで負けた
ことはなく
ザリガニ釣りは
クラスで一番!
天才の名を
ほしいままにした!
めんこ

運動会など
すべて圧勝!!
浅草の
カール・ルイスと呼ばれ
東京オリンピックにも
出場を期待された
1

なんでもトップを
とる勘吉くんは
中学にはいっても
成績は いつも
トップ!
35点 両津勘吉
120点 三田一夫
17点 舟木明
何ごとも
トップを とると
いうのは
すごいことだ!
又ベケから
トップだぜ!

将来の希望は
警察官に
なることと
心にきめており
初志貫徹で
警官になる

その後 警察官の鑑
警視庁の最終兵器と
絶大なる評価を あび
…
日夜 正義のため
両津巡査長は
活やくしている
のである!

どうだ!?
買いたく
なってきたろ!
ほとんど
フィクションじゃ
ないですか
だめですよ
そんなの!
御用

※部長の誕生日は10月15日でしたが都合により6月19日に変わりました。

あっ
そうだ!
いいこと
考えた!
来月 部長の
誕生日だろ!
「我が人生」
ビデオを
プレゼント
したら
どうだい!?
それは
いい
アイデア
ですね!
制作してくれる
会社に連絡して
みようぜ!
麗子!
わかったわ!
友人に
問い合わせて
みるわ!
ビデオ
作りの
プロセスが
見られるぞ
楽しみだな
MOTOCOMPO

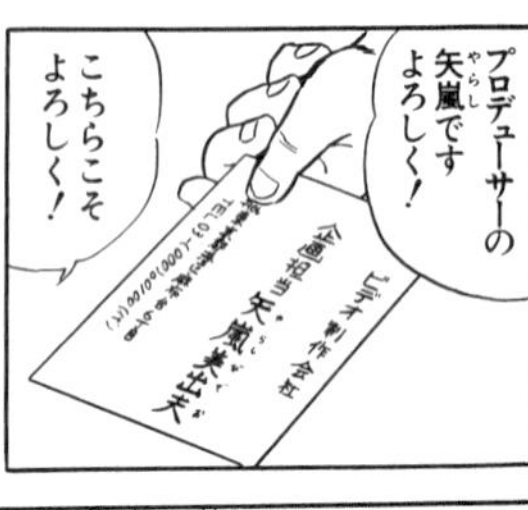
プロデューサーの矢嵐です よろしく!
こちらこそよろしく!

先日 送った資料で足りますか?
少ないですが…
まああとは本人にインタビューしてうめましょう

五十歳~六十歳ぐらいの方の依頼者が一番多いのですが… 戦争を はさんでますからね 写真や資料などが 極めて少ないんですよ
もちろん十枚ていど あればこちらで構成できますがね!
なるほど

先日は八十歳の方の「我が人生」を制作しましたが 写真が ほとんどのこっておらず さし絵で構成しましたよ
まるで絵物語だな!

どんな人の依頼が多いんだ?

会社の社長さんの依頼も多いですよ 金に糸目をつけず作ってくれと!
一代で きずいた社長など 昔の苦労時代をなつかしく思い出されてはげみに されてるようですね!

社長になるくらいだから波瀾万丈の人生だろうな 普通のサラリーマンとくらべものにならんものな!
サラリーマンの方の依頼もありますよ!

100人いれば
100通りの人生がありますからね
平凡な人生なんてありませんよ
みんな ひとりひとりドラマチックな物語を もってますからね!
こないだは十八歳の依頼者がきまして作るのが大変でした!
なに!? 十八歳で「我が人生」ビデオを!!

今年 国立の大学を現役で受かった方なんです
その方は三歳の頃から受験勉強をされてるのです
両親とも教育熱心で!
唯一あったのが受験証に貼った写真と卒業アルバムだけ
青白い顔して 寝不足の目をしてました
笑った写真などまったくないんですからね!
十八歳の方でしたが大学合格が人生の終着点のようなムードでしたので「我が人生」の名に恥じないビデオでした
ビデオ制作のためインタビューしましたから
小学校の頃から睡眠5時間で朝から夜中まで勉強 勉強!!
運動会や学芸会の写真など まったくないんです
まいりましたよ

し しかし目的を もって突き進むのはいいことです!
今大喜びでしょう!?
その方!?
今 体をこわして入院中ですよ
運動不足と栄養失調で!
なんのために15年間も勉強したんだ…

そういや麗子も国立大学出たんだよな!
え…ええ!
今の青年くらい勉強したのか?
あまり勉強しなかったわね!ピアノやバレエや習いごとが忙しくて!
聞いた!?この言葉!この余裕!
世の中いるんだよ生れつき頭のいい奴が!
人が一年かけてやることをわずか一日でやりとげてしまう奴がいる!
カール・ルイスに100M競争挑むようなもんだぞ!その十八歳は!
しかし!カール・ルイスに演歌を歌わせたらわしのほうが勝つ!!
当たりまえですよ!
両ちゃんは人を だますのが得意だものね
その通りその才能をのばしあらゆる所から金を借りまくる……
だから人には得手 不得手があるというのだよ!
どんな奴にも・・・とりえというのがあるだろうそこをのばすのが一番だとわしは思う
用心

ちがう!! そういうことじゃない!

人はそれぞれ個性をもってるからおもしろいのですよ
そう! それ! そういうこと!!

あっ部長だ!?
キッ
警視庁

昔のアルバムがやっと出てきましたよ!
思いで

物置きの奥にはいってましてね! いやあ見つかってよかった
すみません! ムリ言ってさがしてもらって!

マ、マメですねえ部長!
資料は多いほうがいいからな! なるべくいい物を作ってもらいたい!

私は勤務中なのでこれで！
わざわざすみません！
のちほどご自宅にインタビューにまいりますので…
バタム
わかりました！
警視庁

パトカーでわざわざとどけに来るとは！
今回の企画には部長もはりきってますね！
ねェ見て見て!!
えっ!?
思いで

なんだ!? きったねェガキばかり！
部長さんどこかしら!?
見ーつけた!!
ぷ！
なんて貧相な顔してるんだ!?
ずいぶんやせてるわね！

ずいぶん悲惨な姿だな
わしのガキの頃のほうがまだマシだ
ずいぶん田舎の学校にいたんだな
山ばっかし！

それは戦争で疎開してた頃ですよ
大原さんのお生まれは大田区です
なに！
東京なのか!?

千葉にマイホームがあるからてっきり千葉だと思ってた！
あの家は15年前に買われたものです

大原さんのお父様が帝国大学つまり東大の教授をなされてましたのでずっとお住まいも東京です
なに東大教授だと!?
え!?

しらなかった！
部長の親父が教授だなんて！
このことはあまり人には話されていないようです

まじめで堅物なのも筋金入りなんだよ！
ハンパじゃない
意外な事実でしたね
そう思って見ると品があるように見えるから不思議だ

まだ親父さん教授をやっているのか!?
いえ もう引退されて大田区の自宅にいます

見て! こんな写真があるわよ
なに!?

あっ!!

結構青春していたんじゃねェか…
意外ね!

「我が人生」でビデオを見ると 本人の意外な面が見られるので みなさん 驚かれますよ
2週間後を楽しみにしててください

部長の家―

部長 お誕生日 おめでとう ございます
おめでとう ございます

部長の「我が人生」ビデオです! どうぞ受けとってください!
いやあ どうも ありがとう
ごちそうは まだ 出ないんですか?

お父さん
これは
あたしから
えっ
おまえ
から!?

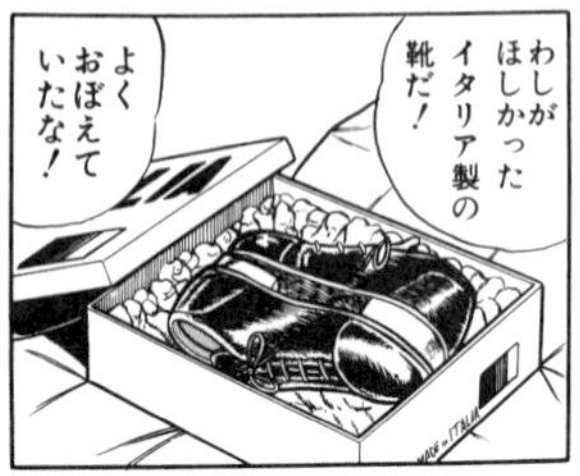
わしが
ほしかった
イタリア製の
靴だ!
よく
おぼえて
いたな!

お父さん
あたしたち
からの
プレゼント!
そうか!

おおっ
木製の
クラシカル
パター!
これは
すごい!

英夫くん
こんな
高い物
すまんな!
ゴルフの
腕を
ますます
上げて
ください

おじい
ちゃん

大介が
つくったの
おじい
ちゃんに
くれる
のか!?

いやあ 大介から プレゼントを もらうなんて 初めてだな
何かな？

だいすきな おじいちゃんへ
かくにだいすけ
おじいちゃん いつまでも げんきでね

じーん

どうも ありがとう 大介…
大切に するよ

部長！ はやく ビデオ 見ましょう！

もう！ せっかく いいムード だったのに！
だって ビデオが 楽しみで きたんだ から…
両津だけは 呼ぶんじゃ なかった…

大原氏の 少年時代は 戦火の中にあった！ 当時 戦況は悪化し 本土も攻撃を 受け始めていた
大原少年は 東京を はなれ よぎなく 疎開を された

疎開先での学校生活もすぐになれまじめで勉強好きな大原少年は すぐクラス委員長になつたものである
ぷっ この写真が傑作なんだ
し…静かに!
あれ!? 真剣に見てるぞ部長…
戦争という状況の中の授業は大変だつた
先生は次つぎに兵隊に とられ学期ごとに先生が変わりまともな授業は とてもできない
しかし大原少年は一所懸命勉強した
昭和二十年 終戦をむかえ東京にもどると そこには住みなれた家はなかつた
東京のあらゆる所が焼け野原となつて何ものこつていなかつたのだ

仕方なく元の土地にバラックの家を建て そこを住まいにした
大原少年ばかりでなく当時は みんながそういう状況の中で生活していた

食べ物や品物のない時代で父は買いだし母は職さがし兄と大原少年は家事を まかされた
弟に少しでも勉強させようと兄は進んで家事をした
大原少年は兄の思いやりの甲斐が あって大学へと進んだ
大学で現在の奥様・良子婦人としりあう

日本も東京オリンピックの開催がきまり それにむけて政府 国民が一丸となつた!
昭和三十九年十月十日オリンピックはぶじ開催された
1964
その頃 大原少年は社会に役立つ仕事をしたいと警察官を志願し警視庁にはいって活やくしていた
オリンピックを境に景気もよくなり 日本も活気をとりもどした

警視庁にはいって2年目に良子婦人と結婚!
翌年 長女のひろみさんが誕生する
現在は巡査部長となりその部下の面倒見のよさと仕事に対するまじめぶりは有名である
これからますます円熟していく大原部長こそ日本の父親像の鑑である

すばらしかったわ
部長！よかったですよ！
パチパチ
いやあ実に照れくさいものだな

我ながら心を打たれるシーンの数かず……
こんなにみんなに感動してもらって……
グオオオ…

グオオオオ
コックリ

先輩!!こんな所で寝ちゃだめですよまったくもう！
ユサユサ
うむむにゃむにゃ……
今のビデオにこいつも登場させてもらいたかったわしの人生の半分をメチャクチャにした男としてな！

★週刊少年ジャンプ1987年25号

両さんの減量作戦の巻

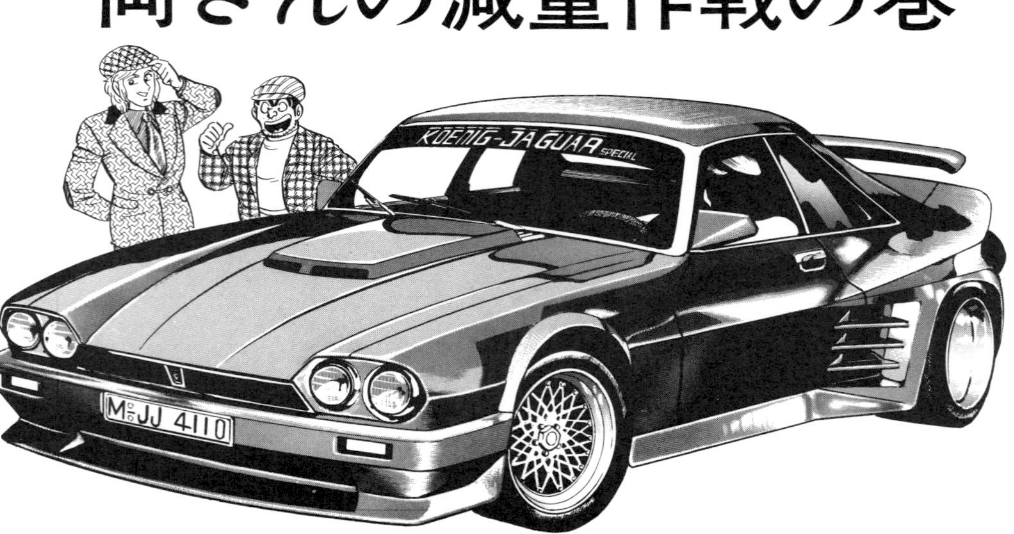

両ちゃん
最近
太ったんじゃ
ない!?
え!?
少し
おなかが
出てきた
みたいよ
ははは
バカなこと
言うな!

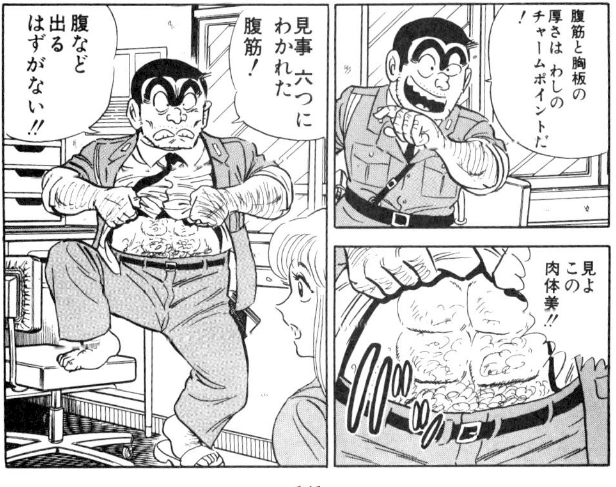
腹筋と胸板の
厚さは わしの
チャームポイントだ
!
見事 六つに
わかれた
腹筋!
腹など
出る
はずがない!!
見よ
この
肉体美!!

そこは
下腹部
おなかは
もっと上です
なに!?

ここの
部分から
おなかです
あっ!!
グイ

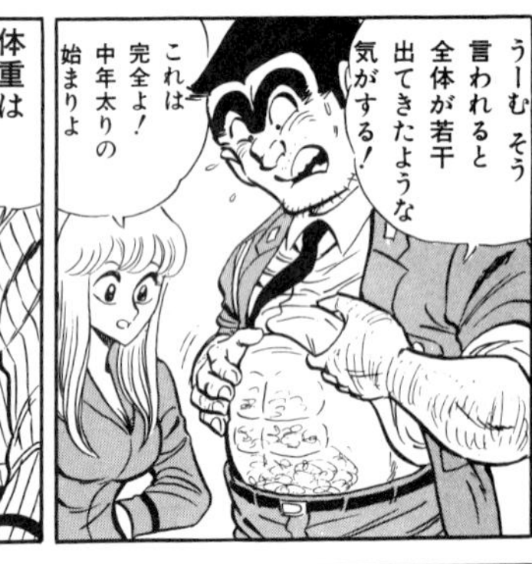
うーむ そう
言われると
全体が若干
出てきたような
気がする!
これは
完全よ!
中年太りの
始まりよ

体重は
今 なんキロ
ですか?
75キロ
くらい
かな?

この体で
75キロも
あるの?
信じられ
ない!
骨太で
筋肉質
だからね
先輩は!
75キロ
あっちゃ
いけないの
かよ!

本当に
太って
きたぞ
近頃!
部長まで!
そんな!!

男は外見じゃありませんからね！中身で勝負ですよ
その中身を疑われてしまうんですよ
どういうことだ？

アメリカではタバコをすう人 太っている人は重要なポストにつけないそうです
禁煙・減量などの自己管理ができないだらしない人間と思われるからです
第一線のビジネスマンならそのくらいの自己管理能力がないと通用しませんからね
う〜むそうか！

先輩も今頃から減量しないととりかえしがつきませんよ
そうよ両ちゃん女性ホルモンが少ないから絶対ハゲるわよ！ハゲでデブは最悪よ！
御用
10年後
サイズすべてLL
ハゲ
二重アゴ
出た腹
短足

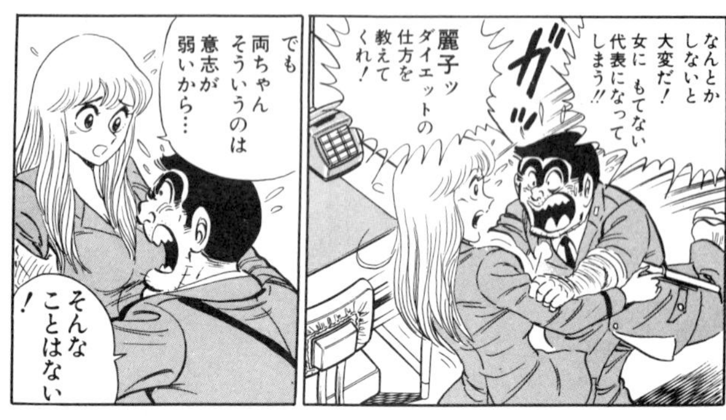
なんとかしないと大変だ！女に もてない代表になってしまう!!
ガッ
麗子ッダイエットの仕方を教えてくれ！
でも両ちゃんそういうのは意志が弱いから…
そんなことはない！

こいつは禁煙するのに20年もかかった男だ
今回は食べ物だけにちょっと無理ですね！
そんなことはない！わしの この真剣な目を見てくれ！
本当にだいじょうぶなの？

!?
サッ
こんな物!!

憎き食べ物め!
こうしてやる!!
ガチャ
ガチャ
ガチャ
これで意志の固さがわかったろ!
協力はしてみるわ
人間ポリバケツの両津に減量(ダイエット)など無理にきまってる!
食べる事が生きがいですからね
腹へった…
カロリー表
目がかすんできた…

おまちどうさま!
やった昼めしだ!
ガバッ
いただきまーす!!
ちょっとまって!
ハンバーグは490Kcal(キロカロリー)もあるのよ!高カロリーの代表よ!
サッ
あっ!!
フライドポテトもダメ!ビタミンC(シー)をとりすぎるわ
サッ
あっ……
ご飯の量も多い!1/3で十分!
サッ
あっ!!
さあどうぞ!食べていいわよ
キャベツしかのこってないぞ!

キャベツなどは低カロリーで栄養分があるわ
ハンバーグライスがキャベツライスになってしまったぞ!

両ちゃんの場合一日1500Kcalにおさえないとダメよ!
今までは5000Kcalくらい異常にとってたんだから

両ちゃんは濃い味つけしか好まないから外食は今日で中止ね!
明日からわたしの手作りで薄味のダイエット食を用意するから

食べ物を制限された上薄味かよ
まるでくたばりぞこないのじじいじゃねえか! くそ!

数日後—

今日のお昼はこれね!
ゴト
キュウリ2本だけかよ!

これだけのダイエットメニューにしても 全然成果が見られないから今日からスペシャル・ダイエット食にするわ!

キリギリスじゃねえんだぞ！キュウリ2本はないだろ！
あっ！

そうだ！もう一品あったわ
そうだろ！キュウリだけじゃやせる前に死ぬぞ！

はい！お豆腐！おしょう油はなしね！
コト

腹がへりすぎて怒る気力もなくなってきた…
やせるのがこんな大ごとになるとは思わなかった…
ポリ
ポリ

カレーの店
この先
ゴミの日

パトロールなどできる状態じゃない…
腹がへりすぎてうごけなくなってしまった

しかしこんな所で警官がのびていたら世間に笑われる
なんとか派出所までもどらねば…

おっ!!

花林糖だ!やったあ!!
甘い物にうえてたところだ!!
パク

げっ犬のクソだ!!
ぺっぺ

そうだ近くに墓地があったはずだ…あそこに行こう…
ヨロ…
ヨロ…
そなえ物が何かあるかもしれん…

よけい目まいがしてきた!
もうだめだ…

ポイ

おおッ！ハンバーガー!!

肉など この10日間 見たことも なかった…
ミルクスタン
まさに 天のたすけ あれを 食べれば エネルギーが…
ヨロ…
ヨロ…

あっ!!

き…きさま…
わしが 見つけ たのに…

ドキッ

まて!! てめえ！ この野郎!!
そのハンバーガー かえせ!!

うりゃ!
ダッ
ゴロ
ゴロ
つかまえた!
キャン
キャン
あっ こら!!
かえせ こら!
ムシャ
ムシャ
ゴクン
食いやがったな! 野郎!
かえせ! もどせ!
キャン
先輩 おつかれさま!
ふら~~~

先輩のお昼はそこにありますコンニャク一枚
あそ…
ふら〜〜
犬にまで食い物をとられた…
コテン
もうだめだ…うごけん…

部長さんの天丼奥の部屋でいいのかしら?
いやここでいいと思うよ
じゃ机の上に置いとくわ
カチャ

神様がくださったチャンス!
ダッ
ほんのひと口!いただいてしまおう!

う…うまい
ごはんがこんなにうまいとは思わなかった
ガッ ガッ
ガッ ガッ
うっ いかん!
あまりの食欲に½も食べてしまった!
これ ちょっとバレるなあ…
どうせバレるなら全部 食ってやる!!
あとは野となれ山となれだ!
ガガ
ガッ ガッ
いやあうまかった幸せ!
生きててよかった
やっぱ½でものこしといたほうが よかったかな?
ドンブリあけて何もないと100%ばれてしまうな
これでなんとかごまかせるだろう!
中華丼とまちがえるかもしれん
秘技!!ごはんもどしの術!!
おえっ
ぐえ
ゲボゲボ

いやあよかったよか…
げげっ部長!
ついに食べてしまったなこいつ!

えっ!なんですって!
よりによって人の食事を食べるとは盗人みたいな奴だ!
目の前にあったのでつい!これは性というものです!

せっかくダイエットしたのにパアじゃない
あれは人間の食べる物じゃない!

やはりおまえにダイエットなど無理だったがまんなどできるはずないと思ってたんだ!

ちがいますよ麗子のやり方があまりにも非道で…

そうやってすぐ人のせいにする!おまえの特徴だ!

ちがう!私は私のやり方でやりたいだけです!
ほほう

おもしろい! もしやせたら 1キロにつき 一万円 あげようじゃ ないか
くそ~ バカに して~~っ!!

男の意地で やせて みせるぞ 絶対!
せいぜい がんばり たまえ!

部長 いいん ですか そんなこと 言って
あいつが やせられる はずない だいじょうぶ!

お金が からむと 別人に なるからな
でも やせるのは 大変なことよ

数日後—

やせる前に 死んでしまう ような気がする…
一日水一杯の 生活じゃ ほとんど 植物と いっしょだ…

いやあ このヨウカン おいしそう!

おっと いかん! 落として しまった!
これは 失礼!
ポト

おっと! また 落として しまった!
偶然 顔の上に!
ポト

なんて うまい ヨウカンなんだ ほっぺたも 落ちてしまう!
くく… 卑劣な…

いやあ! ラーメン おいしそう!
この店の ギョウザが 最高!

ほら 両津くん 見たまえ! このギョウザ!
東京で 一番うまい 店から とりよせた んだ!

私は 仕事が 忙しい ので!
誘惑に 強く なったな
この顔に ピンときた

あっ 天上に スパイダー マンが!

え!?
それ!!
あっ
パク
ゴクン
きたね〜〜っ!!
今のひとつで300Kcalは増えたぞ!
そっちがそういう手を使うなら!
両津ちゃん!おいしそうだよはら!
前しか見えません!
くそ!考えたな…
こっちも完全武装します!

えーーっ?
体重が40キロになったんですって!?
う〜〜む! あそこまでやるとは…
お金がからんでますからね
ぬっ
きゃあ
ぼ・く・だ・よ… り・よ・う・つ…

ぶ・ちょ・う… 見・て・40・キ・ロ・わ・つ・て・38・に… な・つ・た…こ・れ・で 37・万・円…
わ わかった 私の負けだ もう勝負はこのへんで終わりにしよう…
やせすぎて まるで別人みたいだよ だれだかわからない…

★週刊少年ジャンプ1987年26号

ニセ車販売店(ディーラー)を探(さが)せ!の巻(まき)

よう
山田!!
すげえな!!
ポルシェ
買ったのか!?
亀有公園前派出所
文化祭

ニセ車販売店を探せ！の巻

ははは
やはり目立つか!!
いやあ まいったな！

それもオープンだぜ! うちの署でポルシェに乗ったポリスはおれくらいだよ!
本当だよ この道楽者め!!

オレの輝かしい車遍歴を思いおこすと ホンダのN360から始まってパブリカ スバル360 キャロル フジキャビン ミゼット
コルト1000デラックス サニー1000ライトバン そして…

ついにポルシェだ!!
すばらしいライトバンからポルシェとはすさまじいランクアップだ!
パチパチ
パチパチ

高かったろ! 20年ローンか!? ついに結婚あきらめたな!
とんでもない! なんとこのポルシェ新車で98万円!

ばかな! 新車で1千万円以上する車だぞ!
おれもよくわからんが円高還元で安いんだって!!

いくら円高だって安すぎるよな! 中川
ええ! ちょっと安すぎますね!

人を二・三人ひいてるんじゃねえのか? この車!?
そんなことない! 新車なんスよ!

今までの値段が異常に高かっただけ!
あれ!?

ポルシェに右ハンドル仕様車なんてありませんよ

今年から新しくバリエーションがふえたんですよ
ちょっとエンジン見せてください
夏の文
バタッ

あっ
?
エンジンがない!

前にエンジンがあったぞ
そんなバカな
!!

911はすべてリアエンジンのはずなんだが…
だから'87年型から変わったんだよきっと!!

エンジンが水冷3気筒だぞ!
エンジンも新型になったんだよきっと!

エンジンにダイハツと書いてあるぞ!
だからポルシェとダイハツが共同開発して…

そんなハズはない! 本当か!?
ほら550ccのエンジンだ

550ccだったのか… 3,000ccにしてはどうも馬力不足だと思ったんだ
インチキだぞこのポルシェは!!

買った店はどこだ!? わしが文句言ってやる!!
それが…雑誌の通信販売で…

通販で車を買っただと…
あまりに安かったものでつい…

住所は
おそらく
わからん
だろうな！
郵便局
止めや
私書箱が
多いですからね

山田
気を落とすな
わしが
しらべてやる
おねがい
します

よく見ると
内装も
インチキだぞ
ハンドル
シフトなんて
今時
ありません

この広告か！なるほど安い！
円高差益還元!!
超特価
若者のアイドル
新車
88万円
PORUSHU
911ターボ
98万円
新車
B激安W 635csi
チバラギの星
50万円
マークII
Furrari 328
100万円
でしょう

しかし円高還元で外車が安いのはわかるが…
なぜ国産のマークII(ツー)まで安くなってるんだ？
そういえば変ですね

わかった！香港(ホンコン)製かもしれんぞ！
まさか！
円高差益還元!!

BMWだって南アフリカ産のがある時代だぞ!!
安くするためならコストの安い国で生産することもありえる
それはそうですが…
TO LOVE AGAIN
月刊CAR
やはり住所は局止めか!
送り先 東京都葛飾区 西小岩東西小岩 郵便局止メ ニコニコモータース まで
絶対つきとめてやるからな!

公園六区

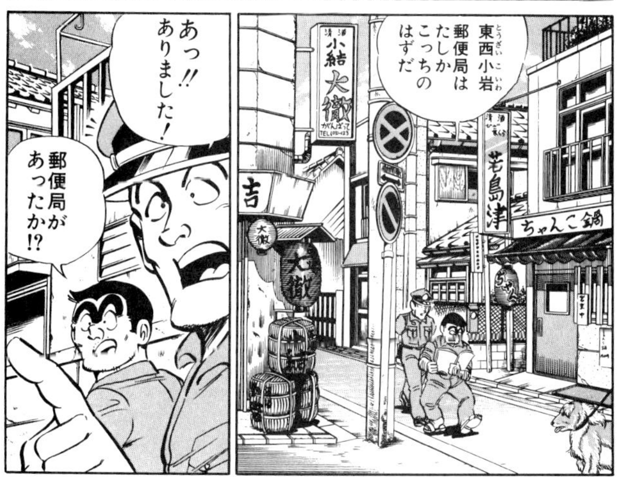
東西小岩郵便局はたしかこっちのはずだ
小結 大徹
若島津
ちゃんこ鍋
吉
あっ!! ありました!
郵便局があったか!?

いえ
ニコニコ
モータースが
あります！
となりに！
西小岩郵便局
ニコニコモータース
警察官立寄所
犬のフンは飼主が始末しましょ
これなら
局止めでも
とどくはずだ
…

なんだね
あんた
たちは？
おたくが
ニコニコ
モータースの
人か!?
そうだが

おたくで
買った車が
ニセ物
だったぞ

そんなこと
はない！
ニセ物は
売らん！
この車だ
ニセ物の
ポルシェ
だぞ！

この車のことか!
そうだ! 550ccのポルシェなどない!!
こちらにはいってきなさい
ウラが駐車場になってるから
うおっすごい!
ポルシェがこんなにたくさん!

BMWやベンツもいっぱいあるぞ
きみが買ったのはこのタイプだね

たしかそうだ!な!
よく名まえを読みなさい!

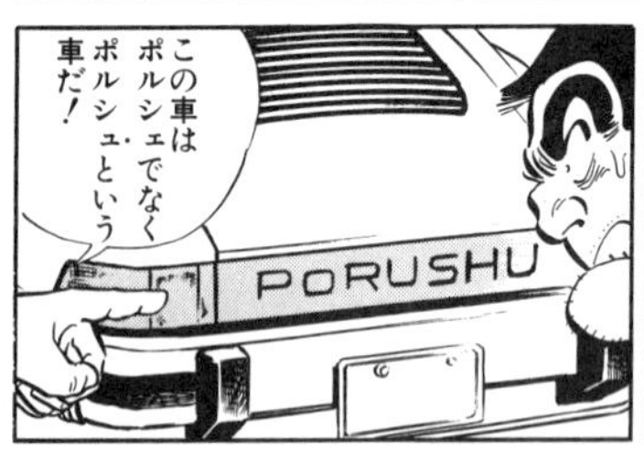
この車はポルシェでなくポルシュという車だ!
PORUSHU

ポルシェとまちがえるじゃないか!
それはあんたの勝手だよ

本物は高くて手が出ない!!ならば形だけでも本物のムードを楽しみたいという所から出てきたのがこの車だ
本来はキットカーで自分で組みたてる

うちのポルシュ911は550cc60馬力中身が全然ちがうだろ!
外見はそっくりだぞ!

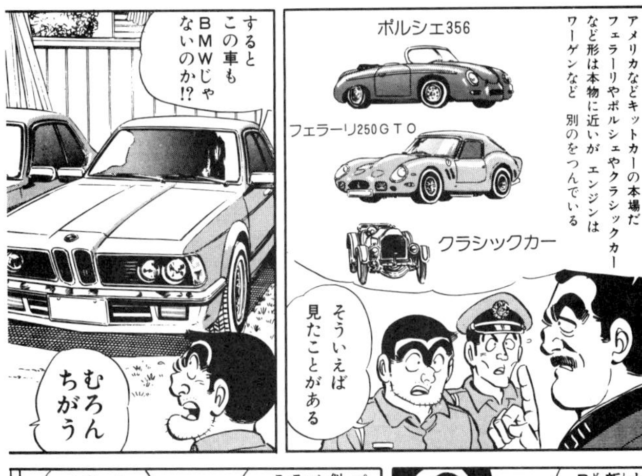
アメリカなどキットカーの本場だ
フェラーリやポルシェやクラシックカーなど形は本物に近いが エンジンはワーゲンなど 別のをつんでいる
ポルシエ356
フェラーリ250ＧＴＯ
クラシックカー
そういえば見たことがある
するとこの車もBMWじゃないのか!?
むろんちがう

わが社の新製品BNW635CSi
ボディーはセルロイド製だ！安くできる
よく燃えそうでこわいな
パンチパーマの似合う車ベスト1にランキングされるこの車！
ベンツだろ！

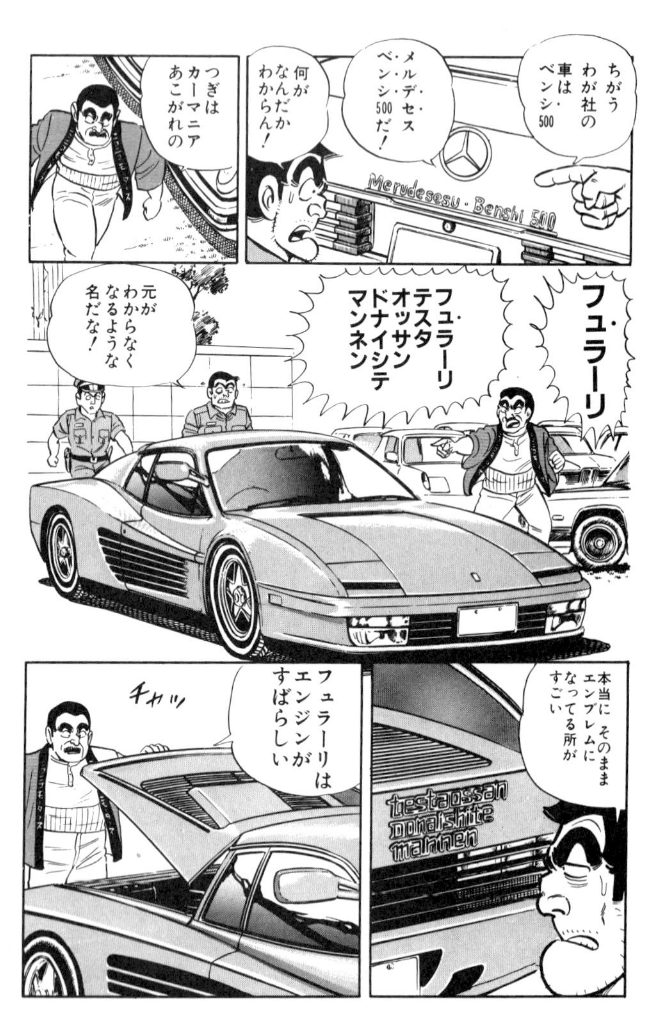
ちがう
わが社の
車は
ベンシ・500
メルデ・セス・
ベ・ンシ500だ!
何が
なんだか
わからん!
Merudesesu・Benshi 500
つぎは
カーマニア
あこがれの
フュ・ラーリ
フュ・ラーリ
テスタ
オッサン
ドナイシテ
マンネン
元が
わからなく
なるような
名だな!
本当に そのまま
エンブレムに
なってる所が
すごい
testaossan
donaishite
mannen
フュラーリは
エンジンが
すばらしい
チャッ

泣く子もだまるカワサキW1 2気筒650ccのエンジンだ! この振動がたまらんぞ
こりゃ脱穀機とあらそうな!

マークIIという車もおいてあるのか?
あれはマークIIではない

わが社の車はマークIIだ
麻雀用語をしらないとおもしろくもなんともない

国産ではほかにハイソカーのクラウンコ・というのがある
ほとんど小学生ギャグだな!

ちょっと派出所に来なさい!
突然なぜだ!?
ここで話してるとバック描くのが大変なんだ 車が多くて
描きなれた派出所の方が楽なんだよ

そんな理由で私を連れていく気か!! 私は いやだ!!
つべこべ言わず来いといったら来い!
力ずくで両さんの勝ちだな

ブォォォ…

うーむ ついに連れてこられてしまった！
つづきだ！ あんなマネしたのばかり作ってると今に 訴えられるぞ
ほとんど類似商品だからな

あれだけ実車そっくりのフォルムを作る技術があるのだ もったいない！
あんなもんたいした技術じゃない！
わしもプラモをやってて わかるが実車のラインに近づけるには相当な造形センスが必要だ！
そんなもんいらん！ わしの作り方は ちがう！

外車高価買入
PORSCHE
まず 夜中に 外車中古車 センターに 行き

PORSCHE
シリコンゴムで その車の 形を とり

その形を 自宅に もって 帰り
セルロイドで 形を おこして それを使う

やってることは まるで ドロボーじゃ ないか!
私など まだ いい方だ!

友人の業者など ミニカーを 売ってるんだぞ! 本物の車みたいに 写して!!
ワンオーナー
XXオートサロン
15万円 ポルシェ 新車87年 モデル

とにかく いかん マネはダメだ オリジナルを 作れ!!

ポルシュやフェラーリもオリジナルだ！
名まえや形がまぎらわしい！だめだ！
名車のいい所を研究して製作したらどうです？
うむわかった

Seaun

中川どういうオチになると思う！
え!?

わしはポルシェやBMWをまぜたきっかいな車を見せに来ると思うがな
そうですか!?

今までの統計によるとそのパターンが多かった！
今回もそうですかね？

★週刊少年ジャンプ1987年31号

列車よいとこの巻

じゃ あとで
いきます
から 主任に
よろしく!
キッ
はい!
勤務中
申しわけ
ありません
でした!
バ
タ
ン

あいつら
なんなんだ!?
中川!?
あっ
先輩!!
うちの会社の
重役連中
です
ベンツの
リムジンなんかで
下町に きやがって
まったく!

なんだってんだ
いったい?
今度は下町の
土地でも
買い占めに
きやがったのか!?
なに!?
デブが
パーに
なった!?
いいえ!
デベロッパー
事業部の
人たちです
都市開発
プランニングの
チームですよ
10年前から
中川鉄道という
部門が ふえまして
今 都心の地下鉄路線を
さらに増線中なんです
ここにきて
国鉄民営化で
あわただしくなって
きてるんです
郊外の鉄道路線を
いくつか中川鉄道で
管理することに
なりそうですので!

そうか!
あの国鉄も
親方日の丸から
はなれて
ふつうの会社に
なっちまうんだっ
たな!
赤字つづき
でした
からね
わしら警官も
親方日の丸だと
のんきに安心して
られんぞ
親方に
見すてられ
たら めしの
食いあげに
なってしまう!

そいつは いかん! 業務成績を上げるため 犯人の2~3人でもしょっぴいてこよう!
民営化にはなりませんよ 先輩

万が一という場合があるひとりでも多く犯人を…
たとえ 犯人を逮捕しても 赤字は うめられませんよ

うーむ 冷静に考えると そのとおりだ… 犯人が お金をくれるわけないいな…
しからば どのように赤字をうめるか…

そうだ! 交通課と協力して 一キロでもオーバーしたらビシビシ交通違反で罰金をとるんだ
そんな!!

40キロの道路を40キロで走行してる車は ほとんどいませんよ!
だから チャンスなんだ!! 駐車違反 一時停止違反など 厳しく 全国で とりしまるんだ!
5,000万人 ドライバーから ひとり1,000円 集めるだけでも 一気に500億だ!
あるいは免許 書きかえを毎年にして5,000円にアップする 免許保有率が国民の50%だから5,000万人とすると 2,500億円も入るぞ!
まあ 落ちついてください 先輩!
何もしないで 一年に 2,500億円だ! これは 強力だぞ!
ちょっと 落ちついてくださいよ

絶対 民営化には なりません! 安心して ください
万が一の場合は うちの会社に 就職しても 結構ですから!
そ… そうか!
親方の すだれ満月は 何考えてるか わからんからな! 心配だ…
自分の 免職の心配の ほうが 先じゃ ない!?

うるせえ!! 人のことなど ほっとけ!
どいてよ! そこ わたしの 席なのよ

わしのイスが こわれたんだぞ! 共用でつかわせて くれたって いいだろ!

いやよ! プラカラーを つけたり 机を きたなく つかうんです もの
そのくらい しょうが ないだろ! 細かい奴だ!

座布団も 勝手に つかわないでよ よごれる から!
ゴロン

てめえ！人が困ってる時ぐらい…
自分でほうり投げてこわしたんでしょう！あのイス！
自業自得よ！
ふた言めにはきたないきたないと言いやがって！
これでも月に2回は風呂にはいってるんだぞ！くそ！
ゴロロ
PLYMOUTH
赤字解消のアイデア電車にするわけか！
通勤時間1時間はザラですからね毎日2時間もムダにしてはもったいないです
アメリカではすでにその通勤時間を利用してビジネスカルチャーや専門資格など教える車両があるそうです

世界一働く人種の日本に そういうのがないのが不自然だよなあ!
だからうちの会社で始めるんですよ今年から!
ボクは3年間鉄道部門の管理運営をまかされてますので…視察にいかないとね…
どんなアイデア電車か楽しみだな
SONY
中川鉄道(株)
カロロロォ
これがその試作一号車両です

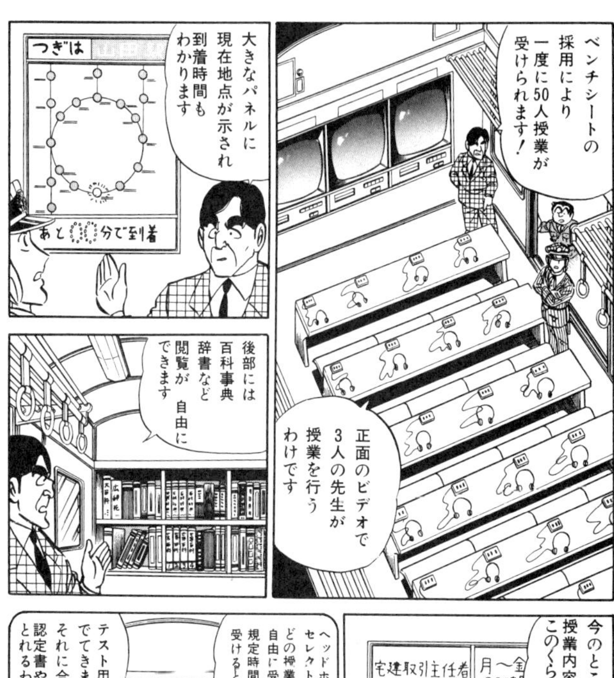
ベンチシートの採用により一度に50人授業が受けられます!
正面のビデオで3人の先生が授業を行うわけです
大きなパネルに現在地点が示され到着時間もわかります
つぎは
あと○○分で到着
後部には百科事典辞書など閲覧が 自由にできます

今のところ授業内容はこのくらいです
宅建取引主任者 月～金 20時限
行政書士 月水金 15時限
司法書士 火木土 14時限
中小企業診断士 土日 16時限
高圧電気工事技術者 毎日 18時限
ヘッドホンのセレクトでどの授業も自由に受けられ規定時間まで受けると
テスト用紙ができますからそれに合格すると認定書や資格がとれるわけです
高圧電気技術者

この
車両教室を
最後部に
もうけて
月謝2,000円で
行う予定
なのですが…
うむ
問題は
ないと思う！
ちょっと
まった!!
このアイデア車両
どうも わしの
考えてたのと
ちがうな
ビジネスマンの
ためという気が
する
当然です！
最前線に働く
ビジネスマンの
スクールですから
開発主任！
先輩の意見も
聞いて
みましょう
は…
はあ
先輩は
どういう
考えですか
!?

たしかに
いいアイデアだが
この列車に乗るのは
ビジネスマンだけ！
一般のサラリーマンは
乗らんよ
世の中に一番多いのは
このサラリーマン
なんだからな
そういう人に
うける
授業内容も
組みこまんと
いかん！

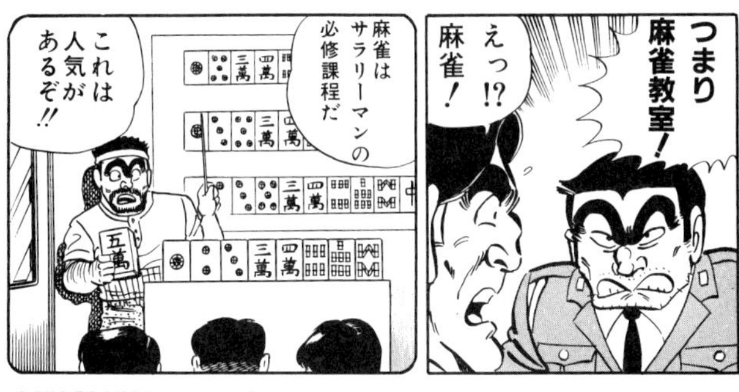
つまり麻雀教室!
えっ!? 麻雀!
麻雀はサラリーマンの必修課程だ
これは人気があるぞ!!

そして必修その2は!
ゴルフだ!!
スイングのビデオを見ながら授業を受けるわけだ
もちろんプロが指導にあたる

以上の点を注意してティーショットすることが上達の秘けつです
わかりましたね
それでは実技にはいります となりの車両へうつってください
ガラガラ…

はい! いいですね! 3番の方もう少しスタンスを広く!
ボール 30発 500円
ガチャ
タタン!
ガタン!
はい! いいですよ!

車内から「打ちっぱなし」をやるですって!!
郊外電車は外は畑ばかりだ その土地もあらかじめ買いとっておけばいい!

先輩の発想は独創性があるんですよ
まったく! ですな!

人家近くになったら実技終了 今度はプロのトーナメント試合を見ながら勉強する!
うーむ なんて大胆なアイデアだ!

つづいて
サラリーマンが
大好きなのが
酒!!
赤ちょうちん!
飲んでから
電車で
帰宅すると
郊外に住む
サラリーマン
など すぐ
午前様に
なってしまう!
そこで…

屋台を
そのまま
車内にいれて
しまう!
これで
一挙両得!
ガタタン…
ガタタン…
おでん
焼鳥
やきとり

係長
やはり酒は
屋台が一番
ですな!
いやあ
まったく!
ガタタン…
電車が
揺れるから
酔いがまわるのも
はやいですな!
おかげで
安く飲めるよ
はははは

お客さん
つぎが
大字駅ですよ
ガタン
ガタン
おや
もう
着くのか!?

今夜は
わしの
おごりだ!
どうも
すみません
係長!

ヅリリリ
ここで
失礼します
係長!!
やきとり
おでん
屋台列車
大字駅
ŌAZA STATION

上司との
コミュニケーションも
とれて
2時間も はやく
かえれるわけだ
なるほど
すごい!

おしゃれな
スタンドバー
なども
いいぞ
若いサラリーマンや
OL同士が
流れる夜景を
見ながら飲むのは
最高だ!!

オレが発案したアイデア電車のかたまりを教えてやろう
どういうのですか!?
まずホームにその電車がすべりこんでくる
東京行
ガタガタン
キキ

あっ山田さん!
いやあ田中さん!
きょうもこの列車に!
すっかり気にいってしまいましてね!

風呂は朝にかぎりますよ
まったくですな
ゆ
背広上下とYシャツのクリーニングたのむ
はいありがとうございます
スピードクリーニング
15分
お預かり
お渡し
私も!

しかし世の中 便利になりましたな
まったくですな！
コイン
ランドリー
洗濯・脱水30分

おおっすいてる！

いけない！ここでおりるんだ！
北千葉〜
北千葉〜

乗りかえの多い人は大変ですな！
うっかり長湯もできませんな！

これで身も心もさっぱりした！
まだ時間がありますな
15分

ちょっと床屋へいってきます！
私は映画館のほうに!!
BARBER
YAMADA

という風になればキップ代以上に金を落としてくれる赤字などない！
すばらしいアイデアですが設備投資がかなりかかりそうですな！
名店街みたいに車両を企業に貸すんだよ
ビデオ
オーディオ
カメラ
書店
VAN
JUN
パーソンズ
ニコル
賃貸料だけでも莫大な金額だぞ！
それではお客さんのスペースが少なくなってしまいます
5両くらいふやせばいいだろ
ホームにはいりきれませんよ！
じゃ 2階建て電車にしろ！上の車両すべて お店や教室だ！スペースが倍つかえる！
さらにTVゲーム車両をつくりタダで遊ばせる
なぜです!?
子どもが乗るということは親もいっしょにくる！人集めには子どもを大切にせんといかん
なるほど！

さらに安売り大サービスのスーパーも車両にいれて24時間電車を運行する！
えっ24時間!?
当然だ！外国など夜3時過ぎまで走ってる所も多い！
その先陣を切って中川鉄道は世界初24時間営業!!ほかの私鉄も絶対マネをしてくる！

今までは電車に乗って買い物や食事や映画などにいっていたが それらの客をすべて電車内で いただく!!
目的地にいかずとも電車で すべてが足りるうごくデパート！走る生活都市！
さらに現代のニーズにあった24時間営業!!これで当たらぬはずがない！
漁船とエンタープライズが戦うようなものだ!!勝負は見えてる！

いやあするどい説得力!!心をうごかされましたよ私!!
これからはヒットラー両津と呼びなさい

春の交通安全

すごいアイデアでしたね開発主任驚いてましたよ！

わしは天才だからなアイデアなどいくらでもでるよ
110番

おや!?
春の交通安全
ガオム
キイ
Mobil

主任だ！どうかしたんですか？

2階建て電車の
試作品を
つくったのですが…
重大な欠点が
ありました!
え!?

2階の店の
使用する電力が
多すぎて
電車が うごか
ないのです!

アイデアが
足らん!
だらしない
ヤツだ!

電気がなけりゃ
蒸気機関車を
つかえば
いいんだ!!
なるほど
!!

そして
列車の上に
風車を つけ
風力発電で
電力をカバー
する
足りなければ
列車のタイヤ
すべてに
自転車の
ダイナモを
とりつけて
この電力も
ムダなく
利用しろ!
ああいう
ケチな
アイデアは
たくさん
でるからな
さすがだ!

★週刊少年ジャンプ1987年16号

武装刑事登場の巻

ボルボ・西郷と言う者ですが班長はおられますか!?
ちょっとまってください!
だれだろ?あの人は?
今度こそ最高点をねらうぞ!!
ぬっ
あのお客さんが…
消火器↓

あっ
バカ!!
カッ
あっ
あぶない!!
ピクッ

ドドドド
ガガ

うおっ!!
なんだ!?
過激派の
襲撃だ!!
えっ!?

バックアップしろ
中川!
はい!
あいたた
いきなり
もう!

うわっ
ダッ
うごくなダメ太郎!!
すいません!派出所のみなさん!
今のは誤射でした!
体が反応してつい反撃にでてしまっただけです
申しわけありません!
なんだ!おなじ仲間じゃねェか!
すぐボクを盾にするんだから!
深川射撃場じゃねえんだぞ!ここは!
きょうからここにお世話になるボルボ・西郷です!よろしく!

ははーん
おまえだな！
5年間
傭兵やってて
ニューヨーク市警
にいた奴は！
はい！
5年も
傭兵を
してたん
ですか？
はい
先月 日本に
もどり
葛飾署に
配属に
なりました
たおすか
たおされるかの
世界で
生きのびるため
いろんなことを
学びました！

38口径ですか？
不安だなあ
ニューヨーク
とちがって
民間人は銃を
持っていない
38で十分!!

おまえさんの
拳銃
45オートじゃ
ないのか？
はい！
いけま
せんか？
警官は
38リボルバーと
決まってる
からな！

左のふところやけにふくらんでるな!
はい!
一丁はいってますが!
それもダメだ! 刑事じゃあるまいし
きびしいですな!

ロッカーはここあいてるからつかってください
はい どうも

ちょっとまて!

やはり!
グイ

用心深い奴だな! こんな所にまでかくして!
いや! イザという時のために…
右足にも一丁ありました

右手思い切りのばしてみろ!
えっ!?
ドキッ
どういう意味だか私にはさっぱり…
いいからのばせと言ってるんだ!
やっぱり
COLT
左手にもかくし銃があります!
こいつの体ぜんぶしらべろ!
もうありませんよ本当に!
さっさと服をぬぐんだ!
おまえ 武器の運び屋か!! よく税関を通過できたな
警察官としてこのくらいの装備は必要です
小型自動拳銃六丁
デリンジャー四丁
モーゼルM712一丁
弾丸百二十発
手榴弾三個
プラスチック爆弾一個
ナイフ六本

背中にモーゼルのフルオートを背負った警官なんて世界中にどこにもいない!
し…しかし!
先輩!! 警棒に仕こみ銃が…
座頭市みたいな奴だ!

市民を守る警官としてこの装備は…
ちがう!
すべて自分の身を守るための武器だろうが!!

おまえ本当はすごくおく病なんじゃないのか?
ドキ

バカなことをおっしゃらないでください!
私は安全の上に安全を考えてですね!
ダメ太郎! こいつに服を着させろ 武器はすべて押収だ!

強いのか弱いのかわからない人ですね!
えらいのがきたもんだ!

銃一丁だけというのは不安ですね!
日本は安全な国だ心配ない!
しかし銃が故障した場合を考え せめて二丁…
中央銀座通り
うわっ!
危険だふせろ!

ゴオオオ
止まれ
ギュッ
あっ!!
ひでぶ!
止まれ

道路に 急に飛びだすほうがよっぽど危険だぞ
わかっていたが…体が自然にうごいて…

COFFEE & CAKE
COFFEE & CAKE KAME

さっきの音はパンクってすぐわかったぞ!
私もそう思いましたしかし万が一というケースが…
カチャッ

だ…
だれだ!?
きゃあ
うわっ
今 銃の
撃鉄(ハンマー)を
おこした
奴は!?

はやく
本署に
応援を!!
バカ野郎!!
どこに敵が
いるんだ!!

今 たしか
撃鉄を
コックする
音が…
この音だ!
これ!

おかしい…たしか人の気配がしたのに…
都会は人の気配だらけだよ
ガチャ
ニューヨークで勤務中ハンバーガーショップで同僚が撃たれたことがあるんです
ここはニューヨークじゃない!
ホットひとつ!

あいたたた
腕から血が!!
ゴロ
すくいがたい
男だ!
ゴロ
いてててて!!
ゴロ

考えてから
行動に
うつさんと
いかんぞ!!
アクションが
はやすぎる!
はい!
これからは
注意します!

両津さんじゃ
ないですか!?
おっ
不良の
発葉
二三文か!

どうだ!?
発葉!
会社に
なれたか?
それが また
ケンカして
べつの会社の
セールスマン
してるんすよ

そうだ！名刺があったっけ
チャッ
やばい

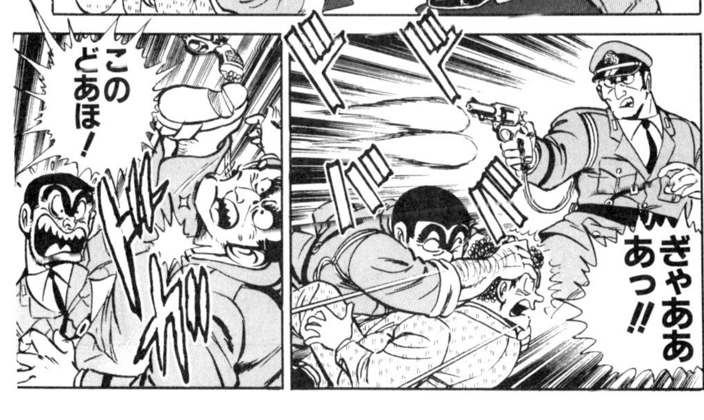
ドド
ババババ
ぎゃあああっ!!
このどあほ！

ニューヨークではふところに手をいれると銃をぬくと　みなされ撃っても正当防衛なんですよ！
日本では過剰防衛だ！そんなことしたら日本のサラリーマン全員撃たれちまう！
もう銃を持ってはいかん！わしがあずかる
非武装で町中を歩くなんて！自殺行為ですよ
そんな端を歩くなよ！
ニャン
ジリ
ジリ
ぬお！
ゲリラだあ!!
ゴロ
ゴロ
ゴロ
うおおおおっ
つかまえたぞお!!
まて!!西郷!!
それはネコだ！

おかしい！たしかに今ゲリラが…？
そんなナイフどこからでてきたんだ？
イザという時のために！靴の底にかくして…
手品師みたいなことするな！かせ!!
はっ!!
バババッ
敵のヘリだ！逃げろ!!
ドドーン
うわっ
うわあ!!
このバカ！
東大正門前

へーくしょん!!
大変でしたね先輩!
体がいくつあってももたんよ!
それにくらべあいつの体のがんじょうなこと!!
まさにスウェーデンの車・ボルボなみだ!
ぐふっ!!
ガン
そうか背もたれがこわれてないんだっけ!あーいて!
あっ西郷さん!
両津先輩!私にむいてるゲームがありましたよ!
なに!?

植木祭り
植木祭り
松屋
サッ
すごい！コルク銃の三連撃ち!!天才だよこの人！
このおまわりさんに景品ぜんぶ持っていかれて商売になりませんよ
射的
コルク銃なら心配ない！今度からこの銃を持たせよう！

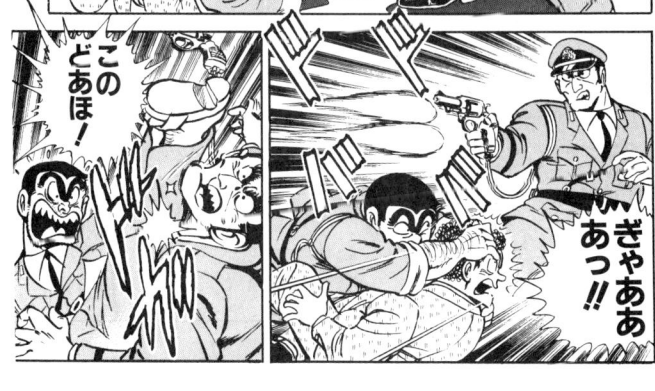

★週刊少年ジャンプ1987年17号

ローザンヌの休日の巻《前編》

毎日 35度が平均気温なんてじょうだんじゃないよ! まったく!
蒸し焼きになっちまうよ!
亀有商店街

とてもズボンなどはいてられる状態じゃない!
なりふりかまっちゃいられないよ!

スイスへバカンスに行きますか? 先輩
なに! スイス!?

ローザンヌの休日の巻〈前編〉

レマン湖・大噴水

スキーのワールドカップに
ぼくが出場するんです
そのあと
ローザンヌの ぼくの別荘で
のんびりしようと
計画してるんです
中川の別荘か
悪くないいな!

麗子さんも
ワールドカップに
出場するので
同行しますし
部長や本田さんも
行く予定です
よし!
行こう

夏スキーか!
いやあ
楽しみだな
夏に
スキーが
できるなんて
最高だな!

部長!
おはよう
ございます

夏休み
みんなで
夏スキーに
行くんでしょ!
だれから
聞いたんだ
!?
中川から
ちゃんと
聞きました
よ!

夏も雪を求めて海外スキーか!! 一年中遊びまくっているどこかのSF作家みたいでいいなあ 楽しみだ
中川 あいつにワールドカップのこと言ったのか?
ええ! 言いましたけど!
世界中から人びとが集まり テレビ局なども来てるんだぞ!
そういう場所にあんなバカ連れて行ったら 何をするかわかったものじゃない!
スキーコースにでっかく名まえを書いたり ガスバーナーで雪をとかしたりしかねないぞ
ちょっとおちついてください 部長

去年のハワイのこと思い出してください 先輩だけさそわずハワイに行ったら イカダでハワイまで追いかけて来たでしょう
先輩の性格からいって 我われだけで旅行したのに気づいたら 地の果てまでも追って来ますよ
じゃあこうしよう ローザンヌに奴をのこすことにしよう!
だいじょうぶですかね?
止まれ
4.3M

旅行当日――
中川邸飛行場

両ちゃんと圭ちゃんたちおそいわね! もう時間なのに…
両津などわざわざむかえに行くことないのに! あのバカがおそい原因だ!

離陸時間になりましたので搭乗してください!
え!?

まだ中川も来てませんよ!
むかえを出しました! 上空で合流しますのでだいじょうぶです!

空で合流だと? いったいどうやるんだ?
さあ!?

事故らしいな
全然
うごかんぞ!!

いかに この車が
480馬力あろうと
渋滞で
前後ふさがれては
1センチも
うごけん!
ボボボ
あと少し
がまんして
ください
さっき連絡
しときましたので
もう むかえが
来ますよ
どうやって
ここまで
来るんだよ?

たとえ
パトカーでも
上・下全車線
ふさがれては
ムリだぞ!
なんの
音だ!?

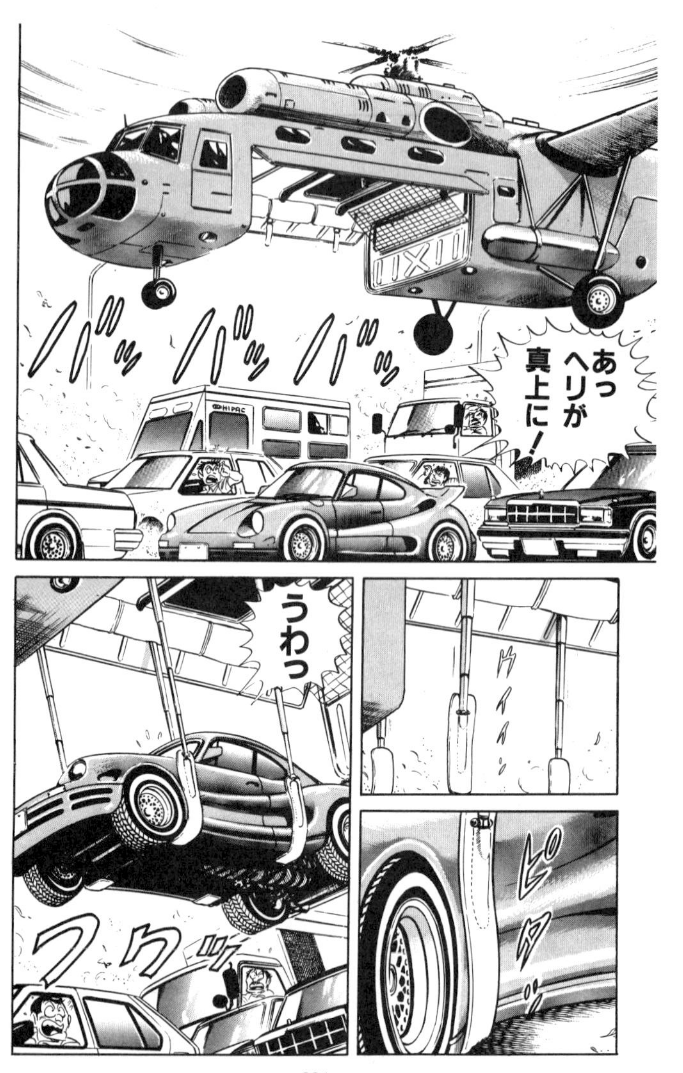

バッバッバッ
あっ ヘリが 真上に!
うわっ
ワウッ
ピタッ

バババババ

ヘリに乗りかえましょう
ウイイン
サンルーフから出るのか!?

なんだったんだ今のは?
さあ!?
TOYOTA

サンルーフというより出入口専用ルーフです
なるほど!!

高速道路などで渋滞に まきこまれた時のための救助ヘリですよ これは！
サンダーバード2号みたいだな
あと3分で機が通過します！
うむ わかった！
先輩 このカプセルに乗ってください
なんで!?

投下用意！

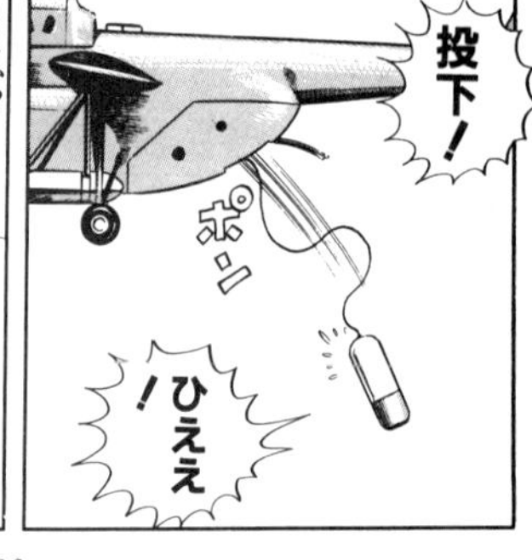
投下！
ポン
ひええ！

まさか!? この形であの飛行機にひろってもらう気じゃないだろうな
大当たりですよ！

バカなマネをするな!!
わしは引田天功じゃないぞ! うわっ!!
ギイイイイン
キイイイン
スポン

サーカスでも
あんなのは
やらんよ!
寿命が ちぢんだ!
ハァーイ
やっと
会えたわね
!

両津だけ
翼に
当たって
こっぱみじんに
なればよかったのに!
会う早そう
イヤミ言うこと
ないでしょが!

ローザンヌ
Lausanne

スリルを味わったとたんハラが減ってきた中川　メシにしよう！
はいはい　わかりました！
キイイイイン

PHILIPS

右に見えるのが
有名な
レマン湖です！
アルプスなどの
山やまに かこまれた
美しい国のスイス
その中でも
このローザンヌは
最高ですね

チャップリンや
世界の有名
スターの別荘も
多いですよ
こんな
美しい
森と湖が
ながめられる
のは 世界で
ここだけですよ

中川の
別荘は
まだか？
もう
すぐ
ですよ
HAWAII

見えて
きたでしょう！
あれです！
うおっ！
あれかよ
!!

まるで
城みたいだ!
すげえ!!

この
バルコニーから
見る湖が
最高ですよ
まあ!
すてき!

このきったねえ
つぼなんかも
ひょっとして
高いのか?
ルイ14世
ご愛用の
本物なので
あまりお手は
ふれないで…
HAWAII

本田くん
ちょっと！
はい
えーっ！
先輩だけ
スキーに連れて
行かない!?
明日
我われは
こっそり
行くからな！
君たち
ふたりは
湖で のんびりする
よう この方たちに
ちゃんと たのんで
ある！
両津の
めんどうを
みれる人間は
君しかいない！
たのんだぞ！
やな役
だなあ…
今から悪い
予感がする…
いいながめだ！
屋外での夕食も
いいものだな！
もうすぐ
きれいな
サンセットが
見られます

明日も
いい天気に
なりそうだ
ワールドカップ
楽しみだな
ドキッ

何 言ってるんだ
ワールドカップは
来週に
なったんだぞ!
えーっ!?
そうなん
ですか!!

今年から
日が変わったんだ!
なあ
麗子くん
え…
ええ
なんだ…
テレビ中継
楽しみに
してたのに!

せっかく会場で
バクチクを
ならして
目立とうと
思ってたのに!
ちぇっ!
やはり…
あぶない
所だった…

じゃあ
部長たちは
スキーに
行かないん
ですか?
せっかく
休みに
来たんだ!
のんびり
すごすよ

本田が
ヨットに乗りたい
と言ってたぞ
両津!
ぜひ連れて行って
やってくれ
HAWAII
88
お安い
ご用です!
いいスよ!

この別荘は
広くて迷子に
なりそうだな！
ぼくも年に
一〜二度しか
来ないので
まよってしまい
ますよ！
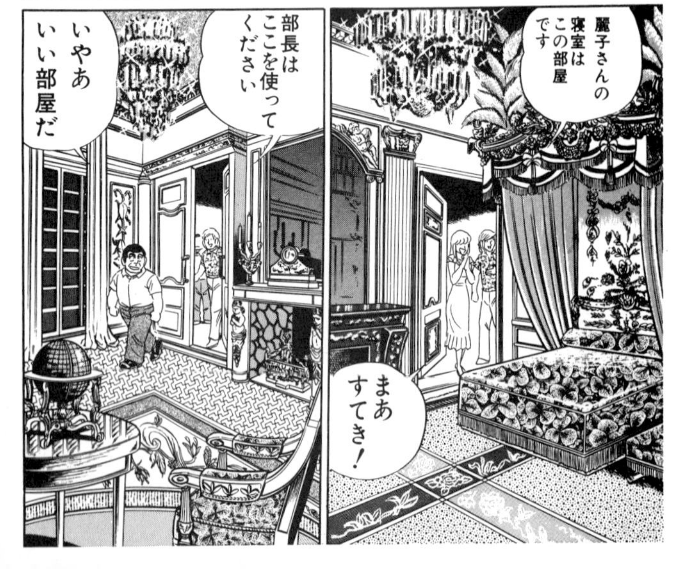
麗子さんの
寝室は
この部屋
です
まあ
すてき！
部長は
ここを使って
ください
いやあ
いい部屋だ

先輩と
本田さんは
こっちです
えっ？

ぼくの
おじいちゃんが
特注した
特別室を
用意しました
特別室か！
やったぜ！

梅ノ間
和室です！
ここなら
おちつける
でしょう
なに！

う〜〜む
この部屋に
いると まるで
熱海の旅館に
来てるムードだな
せっかく
スイスに
来てるのに〜！
ぼくだけ
部長の部屋に
行きたいな…

★週刊少年ジャンプ1987年38号

ローザンヌの休日の巻
〈後編〉
いやあ 実に パラダイス!
やはり夏休みとは このように 過ごしたいものよ のう! 本田!
スイスの レマン湖に 船を うかべて のんびり くつろぐ… 最高だな!
本当ですね
だいぶ エンジョイ されてる ようですよ
おぼっちゃまたちが スキー大会に 行ったことは ぜったい知られては いけませんぞ

ローザンヌの
休日の巻
〈後編〉
SCOTT

'87 SKI GRAND CHAM
SUBARU KODAK
ババババ....
ビュン
K・NAKAGAWA
33・03秒
やったあ
すごいぞ!!
ビュン
SKI GRAND CHAMPION
SUBARU KODAK YAMA

ベストタイムださすがは中川だ！やったな！
どうも
女子スラロームの金メダル候補ですよ
ザザ
ッ
ズバ
ババ
ワ
ワ
1分21秒03!!

女性とは思えないほどダイナミックなフォームだ！
かなり上達してきましたからね 今年は優勝しますよ！
YAMAHA 8
両津がいないからワールドカップがゆっくり観戦できるよ！
先輩たちには本当に申しわけないですね
YAMAHA 8

ドリンクドウデスカ？
いやあすまんな！ まさにパラダイスだははは

ドキ！
なんで中川たちもいっしょに来なかったんだろうな？

スキーじゃなくて… その… えーと き… きっと街に買い物にでも行ってるんじゃないですか？

ピクッ

パァン
ひっ
本当にスキーなんて行ってませんよ！先輩!!
ずん
やめてください！
ずん
今の言葉本当か！かくさず言え！
グイ
両津さまがワールドカップにいらっしゃると品が…あの…悪くなるからと部長さまに…
先輩おこっちゃダメですよ〜！
なに 心配しているんだ？本田くん私は別におこってないよ
すぐ頭にきてあばれるなんて子どもと同じだからねこうしてスイスの山やまにかこまれて夏休み(バカンス)をエンジョイしてるんだ！小さなことなど気にしないよ！
なん回かの海外生活で国際マナーも身につけているからね私は！
よかった！
ホッ
しかしだね！
ピク
うそつきは決してゆるしてはいけない！
天にかわって私が天誅を下してやらねばならん！わかるね！

けっきょく
復しゅうに
行く気じゃ
ないですか！

心はレマン湖のように
おだやかな私も
人の道にはずれる
行為を されると
おこるのは
当然だ!!
男として
ケジメを
つけさせる！
わかったな！

大型ヘリを
2台すぐ
用意しろ！
この船を
ワールドカップ
会場まで
はこぶのだ！
はやくしろ！

'87 SKI GRAN
1 K.NAKAGAWA
2 M.OMTA
3 D.KOGURE 3:08
4 S.G.KOSAKIN 3:10
5 T.KITANO
SUBARU
KODAK
YAMAHA
各選手が
追いあげて
いるぞ！
だいじょうぶか
中川！

つぎで
ひきはなして
ダウンヒルで
初優勝を
かざって
みせます
ぜひ
そうして
くれ！
YAMAHA
8

バババババ…

バッバッバッバッ

いたいた!
のん気に
スキーなんぞ
しやがって!

あと数分で
目にもの
見せてやる
からな!
いったい
どうする
気ですか
?

よし!
ここで
おろせ!
えっ!?
下は急坂
ですよ!

いいから
おろすん
だ!!

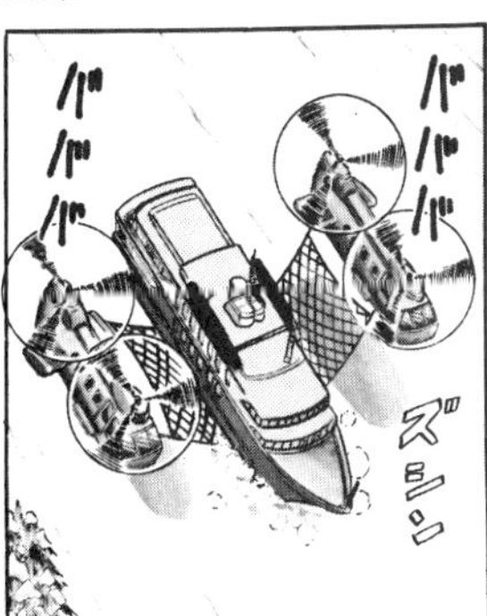
ドドド
ドドド
ズシーン

うわっ！すべり落ちる!!

ズズ

いいんだ！この船でワールドカップ会場に突っこんでメチャクチャにしてやるんだから
え〜っ!!!

やめてください！世界中の人びとが集まってるんですよォ会場は！
もう おそい！走り出したらもう止められん！

'87 SKI GRAND CHAMPION SHIP
ワールドカップゴールドメダリストミスターナカガワ！
どうもありがとうございます

V2ナラズクヤシイネ！ライネンハカナラズカツヨ
いいえ今度は ぼくがV2を ねらいます

ワールドカップ選手のみなさまパーティーの用意ができておりますこちらへどうぞ

見て！わたしも女子スラローム優勝よ！エヘン
我が派出所から世界チャンピオンがふたりも出るとはすごいな
'87

トニーさんから今夜 別荘でのパーティーに招待されちゃったわみんなで行きましょ
えっ!?あの人はスキーの神さまと言われるトニー・ザイダーか！
SKI87
よく見ると雑誌で見たことのある有名スキープレイヤーがいっぱい いるな
世界中から集まってますよ
明日は ぼくの別荘で会場の人たちを呼んでパーティーやりますからね
いやあ毎日パーティーで実にリッチだね

両津は最終便で日本に帰してしまおう 今夜酒を飲まして酔って寝た所をみんなで空港まではこんで！
ははははは
ザヤ ザヤ
おやなんだろう!?

何かが上からおりてくると言ってますが？
なんだ!?
あっあれだ!!
ゴゴゴゴ
あっ!!
部長 中川 麗子！
よくも わしをだましてくれたな！
両津さまが仕かえしに来たぞ！かくごしやがれ!!
ゴゴゴゴ
あーっあれはぼくの船だ!!
にげろ中川！麗子！
イマノニホンゴハナンダ!?
ドドドドド
ウワア

おろか者め!
この船からのがれられると思うのか!
グイ
面舵右せっ!!

ドドドドド
ROSSIGNOL
うわァ
ギャアー!!

なんて奴だ!追ってくるぞ!!
部長ホテルの中へ!
HOTEL
通りすぎるまでホテルで待機してましょう
ふうまいったな
カチャ

たわけー！考え方があまい！
やめてくださいよ～！もう～!!
来たあ！
ドドドドドド
もうダメだ!!

ギギ
ギギ
ドゴォ～
わははは
おそれいったか!!

わしを仲間はずれにするからそういう目にあうんだざまあみろ!
かっかっかっ
きゃあ～前!!
なに!?どうかしたか?

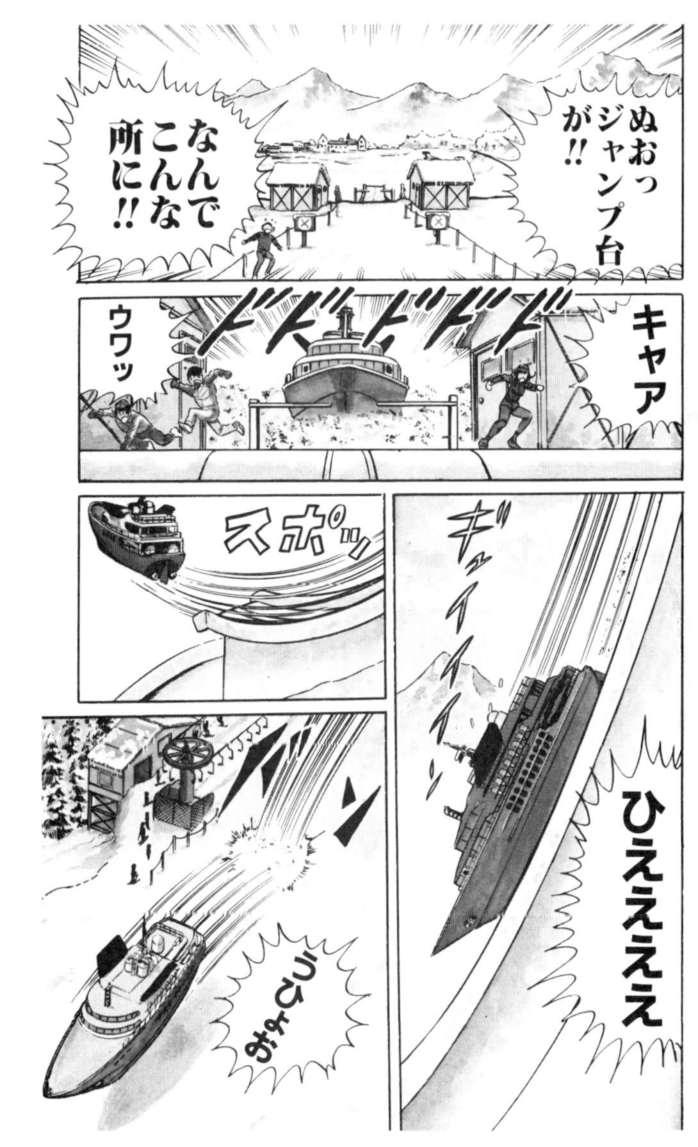
ぬおっジャンプ台が!!
なんでこんな所に!!
キャア
ドドドドドド
ウワッ
ギュイイイイ
スポッ
ひえええええ
バン
うひょお

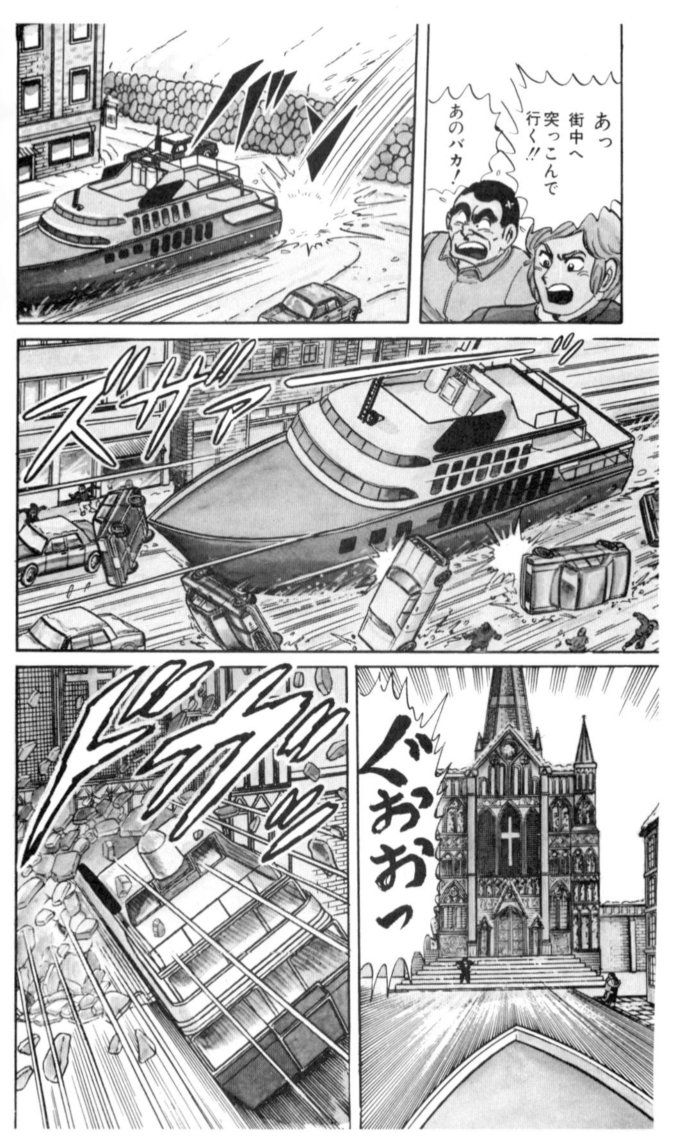
あっ
街中へ
突っこんで
行く!!
あのバカ!
ズザァ
ぐおおっ

街の教会にぶつかって止まったようですね…
なんてバチ当たりな奴だ！

ゴオオオオ…

先輩たち帰れるのはいつごろになりますかね？
みじかくて5年だな！あいつにとって悔い改めるいい機会だ

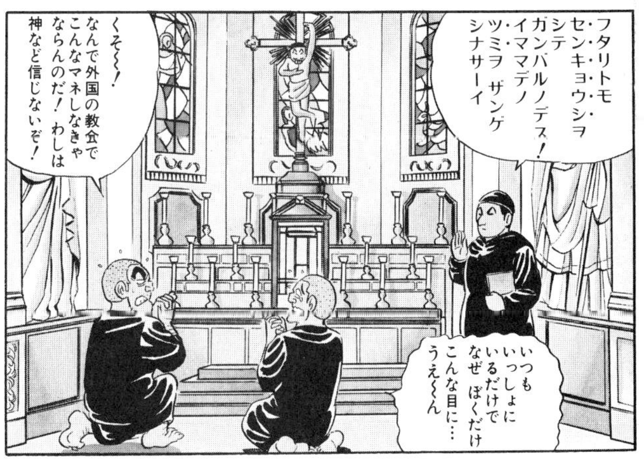
フタリトモセン・キョウシヲシテガンバルノデス！イママデノツミヲ ザンゲシナサーイ
くそ〜！なんで外国の教会でこんなマネしなきゃならんのだ！ わしは神など信じないぞ！
いつもいっしょにいるだけでなぜ ぼくだけこんな目に…うえ〜ん

★週刊少年ジャンプ1987年39号

のぞき魔生け捕り作戦の巻

交通安全

スイスであぶなく坊さんにされる所だったよ！
本当におまえたちだけ先に帰りやがって！ちくしょう！
ちゃんとむかえに行ったでしょう

なんだ！両津 帰ってたのか？
てっきりまだスイスで滝に うたれて修行してると思ってたのに

帰国早そうイヤミ攻めに会うとは…くく…
さっそく仕事だ

フロ屋で のぞきが多発し ぜひパトロールを強化してほしいとのことだ
えっ フロ屋!?

つるかめ湯のことじゃないスか? それ!
そうだ! どうしてわかった?

昔は あのフロ屋が一番高かったけど今やまわりはマンションだらけですからね!
五階の位置から女湯が丸見えですよ!

女湯のへいも人通りが少なくてスキだらけ!
のぞくなという方がムリ…

ずいぶんくわしいなおまえ!
ちがいますよ! 全部 人から聞いた話!

のぞきの犯人というのはおまえのことだろ こいつ!
品行方正な私が そんなことするはずないでしょう 部長!
フロ屋をのぞくのは中学で卒業しました 本当ですよ!

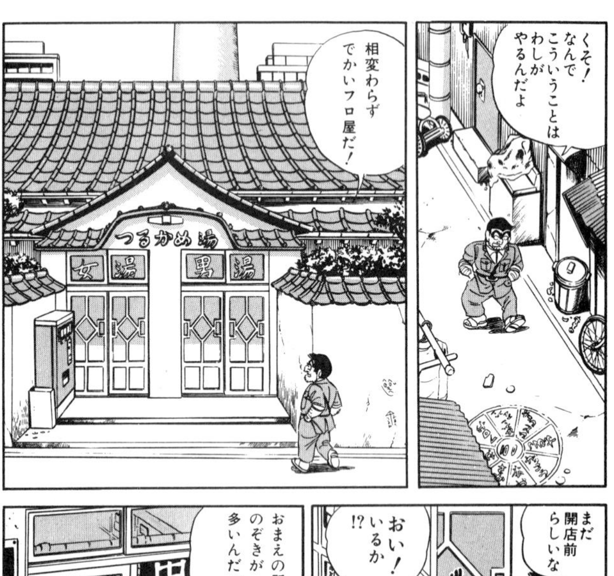
くそ！
なんで
こういうことは
わしが
やるんだよ
相変わらず
でかいフロ屋だ！
つるかめ湯
女湯
男湯

まだ
開店前
らしいな
おい！
いるか
!?
ガラガラ
男
おまえの所
のぞきが
多いんだって？
そうなんだ！
このままじゃ
女性客も
減って つぶれて
しまうよ！
明治乳業

あっ 両さん！
来てくれた
のかい!?
おまえが
仕事を依頼
したん
だろうが！
男湯

いい機会じゃねえか! 地上げ屋にこの土地売っちまえよ!
じょうだんじゃない! そんなことできないよ!

マジで地上げ屋のいやがらせかもしれんぞ!
下町とはいえ都内でこれだけの土地もってんだからな

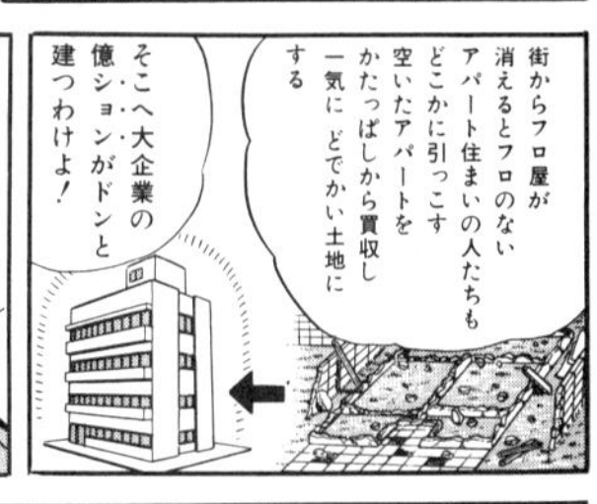
街からフロ屋が消えるとフロのないアパート住まいの人たちもどこかに引っこす 空いたアパートをかたっぱしから買収し一気に どでかい土地にする
そこへ大企業の億ション がドンと建つわけよ!

今までは山の手だけの話で対岸の火事だった いよいよ火の粉がこの下町までもまわって来たというわけだ!
このフロ屋なんて いいターゲットだよ 駅から近いし! 土地は でかいし!

近頃不動産屋がよく来るんだ! その話 本当かもしれんな!
その可能性もあると言ってるだけだ 別に きまったわけじゃない!

なんにしてもふるさとの東京がだんだん住みにくくなっていくのがしのびない!
まったくだよ!

ところでのぞきはなん度くらいされたんだ?

それが毎日40人くらいのぞいてるんだよ
ぶっ
なんだと! それをだまって見てるのかおまえは!
番台から追いかけて行ってもすぐにげてしまうんだ!
その連中からひとり1.000円ずつ料金をとった方がフロ屋よりもうかるんじゃねえのか?
バカなこと言うなよ! 真剣にこまってるんだよこっちは!
しかしこのフロ屋も悪いぞ
え!? なぜ?
たとえばこの庭を見なさい
ガラ
このカベがひくすぎる! 背伸びすればすぐ見えてしまう! 目かくしをするべきだ!
女湯の方はもっとひどい! 右端のブロックがこわれていて中が丸見えだ

どうしてそんなことまで知ってるんだ?
そう言えばなぜかな?ふしぎだ?きっと警官特有の第六感だな!きっと!
いっそのことカベを新しく…

あっ!!
いたな!のぞきめ!
あっ!?

こっちは男湯だどあほ!
うわっごめんなさい!!

この本にのっていたもので…つい…
なに!?

なんだって!?
今月の
のぞき穴場
マニア必見
東京・葛飾
つるかめ湯
本誌記者もびっくり!!
Aポイント
Bポイント
Cポイント
Dポイント
ランク A

うちが都内で一番のぞきやすいフロ屋だと書いてある
こんな本にのったから一日40人もマニアが集まるんだ!
月刊のぞき通信

カベに目かくしをするぐらいじゃとても ふせぎきれんぞ!
どうしよう…両さん?

いい考えがあるわしにまかせろ!
そのかわりうまくいったらゴニョゴニョ
わかった!約束するよ!

それじゃ派出所で準備して来るから!
あっ両さん…
トイレ

さっき飲んだフルーツ牛乳60円だよ!
こまかい男だ…そんなことだから客が減るんだぞ!

都内の
のぞき魔を
一網打尽に
するだと!!

その通り
日変わりで
一晩40人!
さらに ふえつつ
ある現状です
これは
ねがっても
ない
チャンスと
言えます!

のぞきの
ポイントは
なんと言っても
女湯の
このカベです
このカベに
強力接着剤を
一面に ぬって
おくのです!
女湯
男湯

さらに この公園の
木に のぼって見るのも
非常に いいポイントと
されてます
木にも
トリモチを ぬって
おきます これは
「セミとり作戦」
ブランコや
すべり台には
のぼった時に
電流を 流して
とらえます!

名づけて
ゴキブリ
ホイホイ作戦
犯人を
カベに
くっつけて
しまうわけか!

手ごわいのは マンションなどから 天窓を のぞく奴です
天窓を しめれば いいじゃ ないか

換気するので しめられません！
のぞきは 遠くなるので きっと 望遠鏡を 用意して のぞいてるでしょう！ だから…

屋根につけた ストロボで 一撃!!
うわ
うお

これは強烈 ですよ！一瞬 目の前 まっ黒！ なん度かパッパやれば のぞき所じゃ ありませんよ
なるほど！ しかし都内の のぞき魔が そんなに 集まるのか ？

そこです!!
そこが 今回の 作戦の 重要な所！

そこで 麗子の 登場となる！
え!?

〝9月14日は『若い女性がタダの日』つるかめ湯〟との ポスターなど はりまくり のぞきの本にも PRするのですよ
女湯には ・・・ おとりとして 若い婦警を 入浴させておく！

いやよ そんなの！
だまらっしゃい!!
男子警察官は毎日体を張って働いてるんだぞ！
おまえらも体を張ってそのくらいのことをするのは当然だ!!
わたしたちだって同じように働いて…
どこが同じだ！たわけ者！
夜勤もせず！力仕事もせず！月一回休みをとりやがって!!
どこが同じだというのだ！
クル
部長!! 私まちがったこと言ってますか!? 男の警官が男湯入っても効果がないでしょう!?
女性だからこそできる任務ですよね！私の言うことムリがありますか？
た…たしかにそうだが…

ほら見ろ！部長も ああ言ってるだろ！
駐車違反ばかりとり締まってないでおまえらも協力しろよ！
わかったな！
いやよ！

別にポスターだけでフロはからっぽでもいいんじゃないか？
そんなことでプロののぞき魔をごまかせると思ってるのですか！
部長！

奴らは数かずの修羅場をくぐりぬけて来たプロですよ！
遠くから見て様子がおかしいと思いぜったい近づいて来ませんよ！

悪いゴキブリをとらえるためにはいいエサが必要なのです！
いかに犯人をひ・き・つ・け・るかが重要なのです！

麗子くんみんなで協力してくれるか！
わたしたちはエ・サ・なの？やだなあ…
9月14日 P.M.9:00

すでに100人以上がこの公園内に侵入して来ました！
カベまであと5メートルの位置までせまっています！

出歯崎(でばざき)！いつもながらすごい装備だなのぞき魔というより特殊部隊だぞ
ひそかに行動し任務を はたす！目的は いっしょだ！

それにしても今夜はギャラリーが多いな
初めての『若い女性デー』だからな都内のマニアが集結している

公園のまわりはすべてかためました！
よし！そのまま待機していろ！
庁

肝心の両津の奴はどこへ行ったんだ？

この作戦の総指揮はわしだからな！
せめてこのくらいの役得があってもバチは あたるまい！

フロの中はわしが書類検査(チェック)してえらびぬいた美人婦警ばっかし！まいったね！
おじさん思わずよだれが落ちそう！

それでは失礼をばして…

あっ!!
きたねーっ
水着を
着てやがる!!
きゃあ
こら―――っ
おまえら! 水着など
着てちゃいかんぞ!
非協力的なマネ
するな!
そんなことで
犯人を だませると
思うのか
大バカモノ!!
やはり
思った通り
見に来たわね
あなたこそ
のぞいてないで
仕事
しなさいよ!
そうよ
あっちへ
行って!
おっと
あぶねえ!
キュ
ワ
気の強い
女どもだ!
あかん
ベーっ
ここまで
とどかない
ぜ~!
ぬおっ

ぐおっ!!
ドスッ

あいたた!! すごい光だ! 目が くらんだ!
もうのぞき魔があらわれているらしいな!!

うわっ なんだ!!
体がはなれない!
かかった!!

全員つかまえろ!
あっ警官だ!?
うわっ!!

ひゃあ!

木にはりついたたすけてくれ~!!
こっちの身の方が大切だ!!

警官が公園にかくれているとは！
これはワナか！はめやがったな！

あっあの男は‼

のぞき常習犯の出歯崎だ！中川とらえろ！
はい！

そう簡単につかまってたまるか！

電灯がすべてこわされた！
まっ暗で何も見えません！

懐中電灯はやく！
パ
うわっ
あかりがあってはまずい！

まっ暗やみの中をにげるのが私のとくい技！バイバイ
どこだ！
肝心の大物をにがすんじゃない!!

赤外線暗視眼鏡（ノクトビジョンゴーグル）使ってますよ！このやみの中を自由にうごけますからね相手は！
いい物をもって来た！犯人はどっちへにげた？
この方向へ走りさって行きましたが…
よし！まかせろ

おい出歯崎！姿が丸見えだぞ！
なんだって!?
パシャッ
ぐわっ

わかった！
そこだな！

この出歯亀(でばがめ)野郎!!
うわっ

先輩が
つかまえた
ようですね！
どうして
犯人の
かくれている所が
わかったんだ？

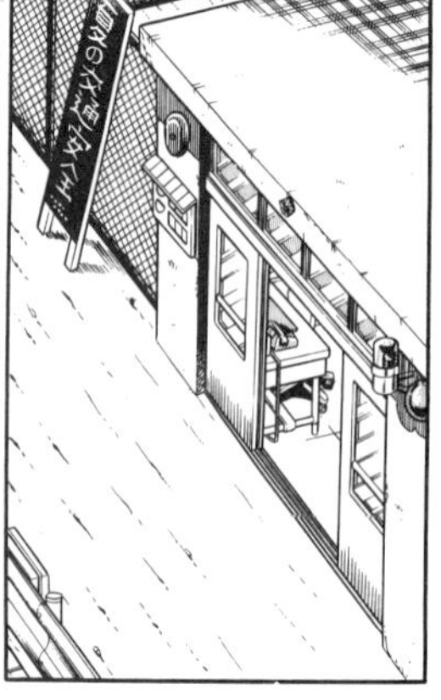

のぞきの連中が
もっていた赤外線カメラで
犯人の赤外線暗視眼鏡(ノクトビジョンゴーグル)
めがけて強力なストロボを
たいたんですよ！
赤外線フィルターを
通すので われわれには
発光したのさえ わかりま
せんが あのゴーグルかけてちゃ
まともに くらいますからね！
びっくりしますよ

ひさびさに
両津を ほめて
やろう！
どこへ行った？
のぞきを撃滅
したら一日
番台にすわらせる
約束をしたらしく
さっき
フロ屋へ飛んで
行きました

なんだと！
とんでもない
ハレンチな！
けしからん!!
まだ そんなこと
考えてたのね
懲りないわね！
おちついて
ください
だいじょうぶ
です

その点については
おフロ屋さんと
ちゃんと話して
きましたから！

な…
なんだ!?
こりゃ
じょうだんじゃ
ないよ
おい!!

今日 9月15日は
『敬老の日』で
おばあちゃんたちが
タダの日だからね
これから
続ぞくと来るよ！
おやまあ
今日の番台の人は
若い人だねェ
だれが
好きこのんで
バーサンのはだか
なんか見るかよ！
かんべんしてくれよ！
肝だめしじゃ
ないぞ！ おい！
あとで
おまわりさんに
背中でも
ながしてもらおう
かね

★週刊少年ジャンプ1987年40号

セールス
じゅうたん爆撃の巻
なに!?
私がスパイに!!

悪質セールスマングループを一網打尽にしたいのだが もうひとつ確証が つかめんのだ
そこで 敵の内部に潜入してさぐる計画にした！
この私がその重要な任務にえらばれたわけですか？
うむ その通り！
君への期待は大きい ぜひ がんばって任務を遂行してくれ！
まかせてください！ かならずや成功させてみせます！

昔からスパイにあこがれてたからな！ かっこいい！

部長！ 先輩でだいじょうぶですか？
一番警官らしくない人物ということでアイツにきまった！ たぶん平気だろう！

ここが悪質商法で有名な「集英商事」か！
やつらは海千山千のつわ者どもの集団だからな

スパイとばれたら東京湾にしずめられるかもしれん！
ここはひとつ気をしめて行こう！
ごめんください！
社員募集の広告を見てきました！

よし!! 採用だ！この人について行きなさい！
えっ!? 採用!?
あの履歴書もってきたんですけど
そんなもんあとでいい！

健康な男子なら合格だ!
はやくわが社の制服に着がえて!
すぐ勤務するんですか!?
うちの会社は忙しいから一秒でも はやく働いてもらう
はい! これが君のアタッシュケース
ポケットベル
パラシュート!
パラシュート!?
すぐ現地に飛んでもらうから
ぬおっ!!

飛行機は苦手なんだよ! ちょっと!
しっかりセールスしてきなさい!
ちょっと………あ!
バタン

ゲオオオオオオン

みんな即採用された連中らしいな！
ギュッギュッ
注目!!

本日のターゲットは日本最大のマンモス団地光町ニュータウンだ!!
105棟 2万世帯が住む！5割売り上げたとしても その数1万件は かたい！
配送係

目標は
9割だ!!
目標九割
10件のうち
9件は
かならず
売るのだ!
わかったな!!

セールスの方法も
ならってないのに
どうやって売れと
いうんだよ!!
ゴオオン……
UCC
COFFEE

光町
ニュータウンの
上空に
到着
しました
よし!!
おりろ!!
ゴオオオ
おりるって!?
ここから
飛びおりる
のか!?
当たりまえだ!
そのための
パラシュートだろ!

ムチャ言うなよパラシュートのやり方もわからんぞ!!
人間必死になればなんとかなる!行け!!
うわっ
なんとかならなかったらどうするんだくそ!
えーと…どのヒモをひくんだっけ
これか!?
やった!
おおっ!はやくもまわりはパラシュートでいっぱいだ!
ベテランのセールスマンもかなりいるらしいな!

ザッ
ザッ
ダッ
コン
コン
ごめんください!奥さん…
この化粧品……
どうもありがとう
さすがベテラン
こっちがおりる前にすでに商談をまとめた!
ドン
おや!?
ゴオオ
ゴオオオ
観光バスがこんな所に!?
団地全体にくまなくバラまかれたわけか!
まさにセールスマンじゅうたん爆撃だ

ドドドド
第8班から
第16班までは
東地区へ行け!!
ドドドド
ドドドドドドド
第105班は
西地区へ
いそげ!!

すげーっ!!
あれも
セールス
マンか!?
ドドドドド
われわれの
ライバル
「鶴亀(つるかめ)セールス」の
連中だよ
えっ!?

10数台のバスで
団地に乗りつけ
わずか一時間で
500万円を売り 次の
団地へむかう!
短期決戦型だ
なに!?
500万円だと!?
家を一軒一軒まわると
るすの場合 ロスが大きい
団地ならば るすなら
すぐとなりへ行けばいい
一軒2分として30分で
15軒は まわれる
一戸建て
団地
なるほど

一軒2分って きまって いるのか?
われわれセールスは時間との戦いだ!
2分間口説いて 脈が なければ スパッと あきらめる! ムダな ねばりは 浪費だ!
逆に 行けるとみたら 時間を 犠牲にしてでも おとす!
昼間ずっとひとりの主婦は だれとでも話したがるので ムダ話に注意しなければいかん! これも時間の浪費だ
必要最低限の会話で 10分以内には 商談をまとめねば プロといえん
近頃は テレビショッピングにも シェアを 荒されている だから放映の 始まる前 朝はやく 訪問することも 大切だ
セールスも大変なんだな
鶴亀セールスがきて この団地は はげしい 戦場になってしまったよ! この状態では 9割は まずムリだろう
ガヤ
ガヤ
ガヤ
ガヤ
この近くに アパートが密集 してる地区がある そこへ行こう
君は 団地セールスに むいてない しな!
どうして?
団地セールスの 条件として 若くハンサムで あることが重要な ポイントだ
わが社でも 整形した 奥田瑛二の そっくりさんが 20人ほどいる

主婦の次は
独身男性が
ターゲットだ
おぼえて
おきたまえ！
しかし！
独身の男が
どこに住んでるか
わからんだろう
このアパートに
3人いる
えっ
なんで わかる
んだ？

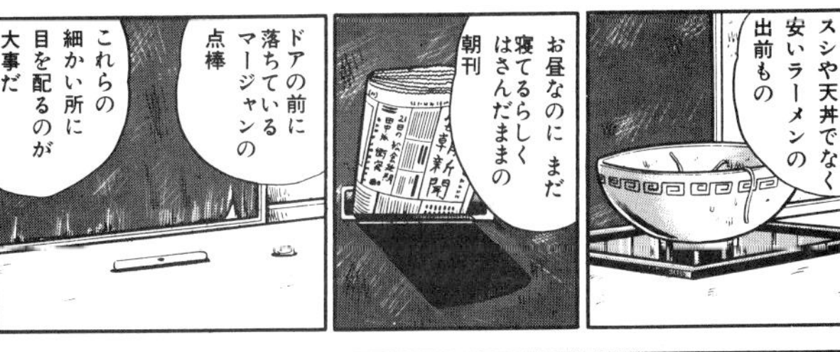
スシや天丼でなく
安いラーメンの
出前もの
お昼なのに まだ
寝てるらしく
はさんだままの
朝刊
ドアの前に
落ちている
マージャンの
点棒
これらの
細かい所に
目を配るのが
大事だ

ほかに
コインランドリーで
まっていてきた男の
あとを つけて行き
アパートを さがす！
これが一番
楽だ！
うーむ…
チェック
ポイントが
いっぱい
あるんだな
カーン
カーン

まずここから！
おい！この部屋が一番近いぞ!!

マージャンをやる人は仲間の出入りも多く独身生活も長い したがってセールスもなん度か おとずれてると見るべき！
こっちの部屋のほうが確率がいい！

新聞を とっているということは 新聞勧誘をことわれなかったということだからな
コンコン
するどい分析！

るすみたいだぞ
しっ

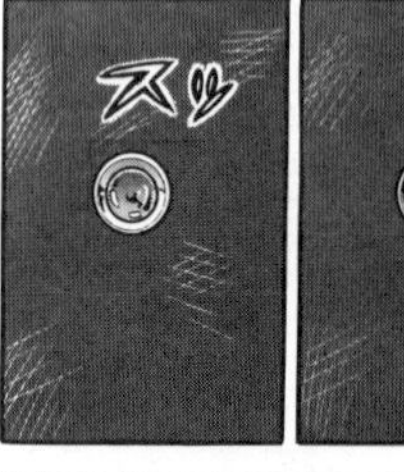
スッ

どうもこんにちは！
あっ
ペコリ

バタッ
な…なんでしょうか?
実は消火器の販売できたのです

消火器ならありますよ!
いいるすを使って こっそりのぞき穴からのぞいたところをすかさず「あいさつ」でドアをあけさせるとは…
ちょっと見せていただけますか?
左足はしっかりドアをしめさせぬようおさえてる
さすがはベテラン!
こりゃダメだ古くなって使用できん!危険だ
ほ…本当ですか?
この勝負2分以内にカタがつきそうだ
カキの口のような厳重な家でも数センチ ドアをあけたが最後 中に はいって強引な売り方をしてますよ!
現価1,000円の鍋を2万円で売っているんです!うわさ通りです部長!
はい!もうちょっと潜伏して様子を見ます!
塩柿
おっいたいた!
ぬおっ
社長が呼んでるぞ
はいはい!今すぐ!!

君が新入社員の両津くんか!!
いやあ君は実にすばらしい売り上げだ!!
ダントツだよ君は! がははは
ありがとうございます社長!!
これも社長と会うための作戦だよ

ボーナスの2千万円だ! とっときたまえ!
ポン
ぎゃおっ!!

こ…これいただいていいんですか社長!?
もちろん! わが社は実力優先! 新人だろうがかせいだ者には見かえりをやる!

よかったら今日からおまえを幹部にしてやるどうだ!?
えっ!? 私が幹部に!!

さ…作戦上幹部のほうがより組織をしれるだろ…作戦上ね!
はい! よろこんで!
そうか!

幹部になったら時給100万円だ!! とっとけ!!
ぎゃおおおっ!!
時給100万円もいただいていいんですか!?

そのかわり売り上げをもっと上げてくれよながはははは
そりゃあもう命にかけても！

これも信用させるための作戦だ！うん！うん！
し…しかし本気でこの会社にはいりたくなってきたなあ…

亀有公園前派出所
夏の交通安全週間

その後 先輩から全然 連絡がありませんね
まさかつかまったんじゃないでしょうね心配だわ！

暴力団とのつながりも深いと聞きますから…
うーむもう2週間もたつからな

本庁によるとセールスグループはますます勢力をのばし 幹部のひとりが下町をしきってるそうだ
まあこわい！この近くにも来るの!?

サングラスをかけすごみがあり今では社長の右腕と呼ばれてるらしい!
部長!!
本庁を説得しふみこみましょう!!
よし!!
ふとんのクリーニングですけど1,000円で!!
えっクリーニング!?
よかった!! 独身でふとんを干すのがめんどうで!
そうでしょう! どこです!? ふとんは!?
これです
うわっ!! これはひどい!
これはクリーニングしてもムダです! だめだこりゃあ…
新しいのにとり変えないとダメですね!
でももったいないし…
あなた! 近頃だるくないですか?
そういえば少し…
ほら!! ふとんが悪い! 寝不足が原因!!
人生の1/3はふとんの中! 健康もふとんから!

おっと これは 偶然！
今 ちょうど ふとんを もってきてるん ですよ！ 羽毛の！
羽毛は 高いでしょ？

うちの品は タダみたいな 値段ですよ
サインひとつで 今夜から 健康 睡眠！
ちょっと そこにサインを そう！ バッチリ！

売れましたよ！ ふとん中に入れて くださーい 30万円の！
えーっ 30万円！

とても そんな高いの 買えませんよ とり消して ください!!

チャッ

この契約書 おたくが自分で サインしたんでしょう？
そう ですが… まさか そんなに 高いとは…

羽毛ふとんは 高級品で 高いのよね ふつう！ 特にうちのは 10％も羽毛のはいった 最高級スペシャル デラックスぶとん なの！
デパートで 買ったら一億円 する品物を 本日限り30万円の 大特価！ どこが不服なの？

いたぞ!! やはりここだ!!
あっ!?
プァン
プァン
ふとん
警視庁

社長はすでに逮捕した!! あきらめろ!
うわっ

大変です警官が!!
なに!?

窓から逃げるんだ! はやくしろ!!
さすが幹部だ! 頭いい!!
ガチャ
ガチャ

警視庁

こらあ逃げるな!!
えっ!?
ガッ

ガシャ
うわっ
ドタ

いやあ 部長
いい所に!
よかった!
つかまえ
ましたよ
ははは…

話は聞いたよ
逮捕した
社長に
全部!!

ぶ…
部長は
何か勘ちがい
して
いらっしゃる!
部長!!
敵を だます
には まず
味方から!
これが作戦の
常とう手段
!!

部長〜!!
誤解です!!
私は敵のうごきを
しるため
より深く深く
潜入しただけ
ですよ〜っ!!
先輩の貯金が
180円から一気に
1億180円になって
ましたからね!
悪いことしても
行動が子どもと
同じだからな!
すぐ ばれる!

★週刊少年ジャンプ1987年28号

This is お座敷 空の旅の巻

えっ!!
外人を連れて
屋形船で
隅田川下りを
するんですか!?

日米親善で
わが署に
アメリカの人たちを
招待
したのだ!!
下町案内は
おまえのもっとも
得意とする
分野だからな!

今の時期
屋形船は
満員ですよ
40人なんて
ムリですよ
そこをなんとか
するのが
おまえの役目
だろうが!

日本に来るのを
楽しみに
してるのだぞ!
日本的な所を
案内せねば
いかん!
じゃあ
こうしましょう
バスに乗って
『浅草・吉原エンジョイ
花魁ツアー』!
これ 最高ですよ!

空の旅の巻
Mercury
MOTOCOMPO
吉原へ行くだと!?
そう!外人さん大よろこびまちがいなし!!
じゃあこうしましょう!ディズニーランドで遊んでNHKを見学!帰りは原宿でお買物!!
おまえ自身がそういう所に行きたいだけだろうが!
ちがいますよきわめて日本的な所に案内しようと思って!

This is お座敷

修学旅行で来るんじゃないんだぞ!!

バスとかでなく日本的な乗り物でのんびり東京見物したいそうだ
バス以外ねえ船もムリだからえーと…

あった!! 人力車!! これは きわめて のんびり 日本的!
40人も いっぺんに どうやって はこぶんだ!

じゃあ! リヤカーに 外人さん全員 乗っけて はこぶのは どうです!?
これも 日本的な 乗り物だと 思うけど… やはり ダメ!?

ちょっと! おちついて 考えさせて くださいよ 部長!!
そんなこわい顔 目の前に つきつけられちゃ アイデアも 出ませんよ!

観光場所を 署長がピック アップしたそうだ 参考にしろ
はいはい

国会議事堂
新宿副都心
歌舞伎座
京都清水寺
東大寺
大阪城
神戸ポートタワー
別府温泉
阿蘇山
一日で どうやって まわれと いうんだ!

のんびり 見物しながら 数多くの場所を まわるなんて 矛盾してるよ!
東京だけでも 観光名所が 多いですからね! 渋滞になると 数か所しか 見れませんよ!

先輩がアメリカ旅行に行った時はどうでした?
ヘリでニューヨークをまわってもらったからな! 一気に見物できたよ!
そうか空だ!
空なら渋滞もなくいろんな所へ行けるな!!
中川車を出せわしの知りあいの所へ行く
えっ!!
民間航空飛行場
えっ!? 外人のお客さんを乗せて東京めぐりをするわけかい? 両さん!
そう! 飛行機を一台借り切って飛んでもらいたいんだ!
いいよ 大型機が一機あまってるからそれを使おう
よしきまった!
中川はもう帰っていい あとこまかい打ちあわせがあるから

そこで飛行機を少しょう改造してもらいたい…こうして…こう…
えっ!! なんだって!?

そんなことしたらえらい金がかかるぞ!!
今後外人専用観光飛行機ということで使えば採算はあう!

しかし重量がかかりすぎてキケンだぞ!
そこはパイロットの腕で…

中川はもう帰れと言ってるだろ! あっちいけ!!

飛行機で東京見物するだと!?
ええ飛行機ならのんびり数多く見物できるからと…

考えようによってはいいアイデアだと思ってたのですが…
なんでもその飛行機を純和風に改造するとか言ってたので少しょう不安で…

当日は中川もついて行ってくれ! 何かあったら両津を機からおとせ!
は…はあ

ブオオオォォッ
5

えーっ
みなさま
私が今回の
ガイドを
つとめる
両津です
まもなく
飛行場に
到着
します
ペラ
ペラ
ペラ

これから
世界初の
「お座敷飛行機」
空の旅に
ご案内いたします

ブロロロロ

はい！
見えてきました
あれが
「お座敷飛行機
将軍1号」です

オーッ
ベリーナイス
!
ジャパニーズ
ブレイン
これで
本当に飛ぶん
ですか?
パ
パ
シャ
パ
シャ
パ
シャ
もちろん!
見ろ
外人にも
大うけだろ!
日本の
飛行機は
こうでなくては
いかん!!
出入口でござる
階段も
木製とは
…

手まえは
茶室の
数寄屋造り
むこうは
日本的な
書院造りだ
パシャ
パシャ
手洗
ベリー
グッド
の心

いらっしゃい
ませ
スチュワーデスで
ございます
オー
ワンダフル!!
パシャ
パシャ
パシャッ
どうだ
日本的
だろ!
・・
凝りすぎ
ですよ
これは!
みなさん
これから
機長の
ごあいさつが
あります
機長室

私が機長の伊達家康です！
この先機長室につき立入禁止
オー！
『東京一日空の旅』の飛行時間は6時間を予定しております！
EXIT

まもなく離陸しますシートベルトをおしめください
ブオオオ……
出発(デパーチャー)！
カチャ
カチャ
固定
座ぶとんにシートベルトがついているとは！

キィィィィィィィィ。
かわらが落ちましたよ先輩!!
スペースシャトルでもなん枚かタイルがはずれた! 気にするな!
ドォーーーン
食事の時間です!
料理人は副機長の宮本小次郎!
慈眼流の華麗な刀さばきをとくとご覧ください!
オー!
パシャ
パシャ
パシャ
ネギ!!
パッ
きえい!!

この先
役長室に
つき立入
禁止
トントントン

はい!
グレイト!
オー
パチパチパチ
パチパチパチ

あれが
華麗な
刀さばき
ですか…
そうだよ
包丁で
切るより
ダイナミック
だろ

アメリカ人は
派手好みだからな
ハッタリかませて
オーバーに
やれば うける
トン
トン
トン

芸者の
用意は
できたか
?
それが
別の
衣装を
もって来て
しまって…

かまわないよ
どうせ外人には
わかりゃ
しないから
本当
ですか!?

ジス イズ
スキヤキ
!!
オー
オー
パシャ
パシャ

ジス イズ ゲイシャ!
オーー
パシャ
パシャ

ジス イズ フジヤマ!!
オーー
パシャ
パシャ
パシャ

あれはつくば山ですよ!
しっ だまってりゃわからないって!

グオオオン

グオオオォ

ゴオオオ
ただ今
東京タワーを
すぎまして
隅田川
上空に
来ており
まーす!!

ペラ
ペラ
ペラ
ん!?
何言って
るんだ?

どうして
隅田川
下りが中止に
なったのか
聞いてます
満員
だったんだ
しょうが
ねえだろ!

川下りが
楽しみで
東京に
来たのに…と
さわいでますよ
ペラ
ペラ
ペラ
こいつら
酒のんで
だんだんガラが
悪くなって
きやがったな

よし!
川下り
やってやる!
シートベルト
しめて
まってろ!
ダッ
え!?

えっ!!
川下り!!
ムチャだよ!
ムチャは
しょうちだ
行け!

日本人の
根性を
見せて
やるんだ!
グイ
あっ

ガクッ

うわっ
うわっ
キィイイイ
バシャ
バシャ
バシャ
バシャ
うわあ
なんだ!?
ぶつかる!
キィイイイ

みなさま
ダイナミックな
隅田川の川下り!
お楽しみ
いただけたで
しょうか!
ヒー イズ ア
クレイジー
ポリス!

外人の方
よっぱらって
しつこいの!
よし!
わかった!
あとは
わしに
まかせろ

夕食(ディナー)ーッ!!
ドドーン

私! 花魁(おいらん)
勘吉やっこ
どすえ!

さあ
あげたての
天プラ
どすえ!
モンスター
ジュウウ

なんだと
てめえ!!

男花魁に
文句あるのか!
おう!
歌舞伎じゃ女より
女らしいのが女形だ
知らねえのか!!
そういう日本の
心も知らずに
来やがったのか!
なんとか言え!!
ドン

ビューティ
フル!
ベリー
ブリティー
!
よし!
日本の心が
わかったな!

どうぞ
どんどん
のむ
どすえ

さっきから
機内が
きしんでる
な!
ギシ
ギシ
改造
しすぎです
よ!
飛行機の中に
日本庭園を
入れるなんて
ムチャですよ!
あっち
こっち
ひっぱがした
からなあ
!
ギシ

バシャ
ガクククン
うわ
!

ぎあちちち
ちい!
EXIT
ゴロ
ゴロ
天プラ油
もろかぶったぁ
ああああっ

急に高度を
下げるな!
川下りは
もう いい!
ガタ
ガタ
ガタ
わざと
下げてる
わけじゃ
ない!

川下り
やってから
プロペラの
調子が
悪くなった
んだ!
ガク
ガク
なん
だと!?
ガク
ガク

うわあ

あいててて!!
ツアーの途中でやばいことになった!
あっ!! ここは!?
そうだ!

えー みなさま!! 少しょう荒っぽかったですが! 新国技館に到着しました! ここが本日ツアーの最終地です!!
みなさまのために砂かぶりの一番いい席を おとりいたしました!!

★週刊少年ジャンプ1987年32号

魔法のテレビの巻

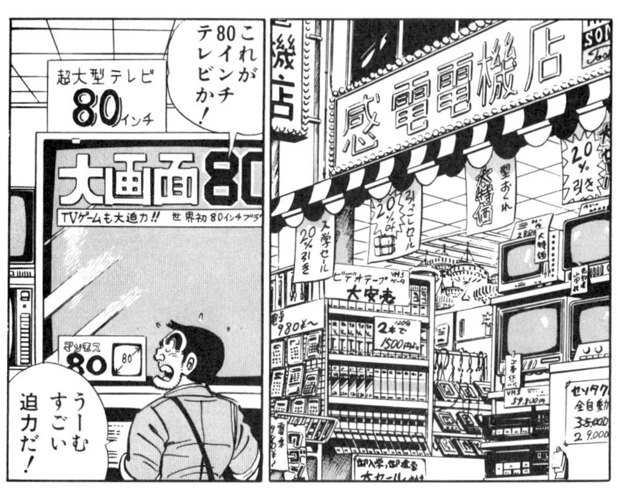
感電電機店
20%引き
大特価
型おくれ
20%off
入学セール 20%引き
ビデオテープ 大安売
2本で 1500円より
セッタク機 全自動
超大型テレビ
80インチ
これが80インチテレビか!
大画面80
TVゲームも大迫力!! 世界初80インチブラ
マンモス80
うーむすごい迫力だ!

これを ワシの部屋に置いたら迫力があるだろうな!!
値段も大型だ!
それに床がぬけてしまうかもしれん!
マンモス80
¥170万円
アンテナ工事費別
80インチ大型カラーテレビ
10ウェイスピーカ×2 別売
重量 218キロ
我が家のテレビも人物の見分けがつかんほど画面がボケてきたからな!
また20年くらい長持ちしそうなテレビはないかな?

なんだ
このテレビは？
27インチ
MAGIC
ニューメディア
ボイステレビ
スイッチ類がどこにもないぞ！

それは最新式のボイステレビですよ
お客さん

つけ！
パ
あっ!!
27インチ
日本の城
MAGIC

すごい！
言葉に反応するのか!!
チャンネルや音量もすべて声で行うのです！

このマイクに本人の声をおぼえこませます
コンピュータによって 本人以外の声では作動しません

主人の命令しかきかないプライベートテレビです
それはすごいな

まさに王様気分！
主人に忠実にしたがいますよ！
王様気分というのが気にいった！
このテレビいくらだ？
27インチ
あき たけじょう
MAGIC
ニューメディア
ボイステレビ

うちの店ならではの特別価格ズバリ126万円！
126万だと!? そんな金ない！
うちの店の特別35年ローンで月づきたった3,000円でOK！
月3,000円か！うーむ安くなった気がする

利息などで50万円ほどプラスされますが…
ひと月わずか3,000ですよ3,000円!!
3,000円で手にはいるとはやはり安い！
一日100円ですからねタダみたいなものですよこの幸せ者！
じゃあここにサインしてください！いやあお客さんもうかった！

スイングスポット

春の交通安全運動

これが その
「魔法のテレビ」
ですか!?
その
とおり!
ご主人様の
言うことをきく
テレビだ!
つけ!
パロ!
つり天国!!
MAGIC
あっ
音に
反応する
テレビだ!!
その
とおり
MAG

チャンネルも
命令する
だけで変わる
6チャン
ネル!
カチャ
カチャ
4チャン
ネル!
これは
おもしろ
そう
ですね!
中川も
やって
みたまえ!
ドカン
MAGIC

10チャン
ネル!
あれ!?
1チャン
ネル!
3チャン
ネル!
MAGIC
全然
作動しま
せんよ?
わはは
ははは

コンピュータによって 私以外の人間の言うことはきかん!!
ご主人様だけに忠実にしたがうロボットとおなじだ
MAGIC
たとえばご主人様がこのように声色で声を変えて
テレビちゃん消えなさい
パッ
見ろ! コンピュータで分析してちゃーんと確認できるのだ

カチャ
むろん英語でもOK! スイッチオン!
NHKニュース
MAGIC
TBS! NHK!
このようにあらゆる言葉がインプットされてるから主人の言葉を判断し理解することができる
まさにロボットみたいなテレビですね

さらにすごいことにテレビにすでにコンピュータゲームが内蔵されているのだ
すべてのゲームソフトに対応できる
このようにセットし!
ペンキヤブラザーズ
カチャ
0X00 00000

そこだ 飛べ! 進めーっ! もどれ!
ピピキューーーン
ピロロロ～
いけ! ジャンプ! 飛べ! 進め!
キュンキュン
MAGIC
ゲームも 声で やるんだ!?

ピロロロ～
休んでる時は テレビの コンピュータが 勝手に うごかして くれるんだ!
全自動 パチンコ みたいな もんよ!

高かった でしょう このテレビ!?
ズバリ 126 万円
!!

よく そんなお金 あったわね!
3,000円で 買えたんだ! あとは長期 35年ローンで 毎月 3,000円!

スイッチ オン! 4チャンネル!
つぎは 8チャ… いや 6…
じゃなくて 4だよーん はははは
先輩は 新し物好き だからな…

カラーテレビも 初めて登場した 時は高かった! 時代を先どりする 品が多少 高いのは あたり前だ!
35年間も お金を はらい つづけるんですか?

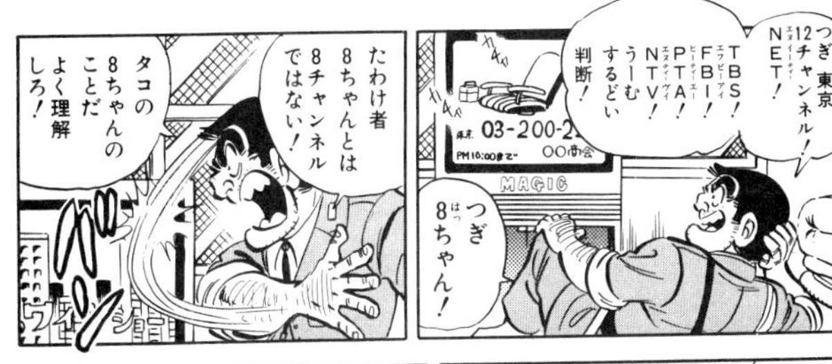
つぎ 東京12チャンネル! NET!
TBS! FBI! PTA! NTV! うーむ するどい判断!
つぎ 8ちゃん!
たわけ者 8ちゃんとは8チャンネルではない!
タコの8ちゃんのことだ よく理解しろ!

つぎ! よんちゃん!
しーん

バカもの 今のは4チャンネルのことだ!
イカのよっちゃんと よんちゃんとはちがうぞ!

つぎ 10チャンネル、、、、、!
カチャ
このたわけ!「父ちゃん寝る!」という会話をしたんだ! だれが10チャンネルに変われと言った!?

おはようございます
おっ! 部長がきた ぜひ見せてやろう!

どうしたんだいったい?
テレビ買ったんですよ最新式の!

ふつうのテレビじゃないのか!?
そう思うでしょう!見ててください!
オホン
MAGIC

スイッチオン10チャンネル!!
MAGIC

しーん
MAGIC

今度 暇な時ゆっくりつきあってやるからな!
まってください本当に声でうごくんですよ!
ダッ

テレビよつけ!つくんだ!
わしの声をわすれたか!?スイッチオン!!
ちょっとはなせ!仕事が忙しいんだ

おかしいな
テレビ
こわれちゃった
のかな?
ユサ
ユサ
ユサ
作動しなく
なったんですか
!?
スイッチ
オン
パ
ボクの声で
ついた!
こいつ!
判別
できなく
なったな!
おまえの
ご主人の
声は
この声だ!!
スイッチ
オン!!
しーーん
無反応
です…
MAGIC

スイッチ
オン!
パ
麗子さん
でも
つきますよ
先輩以外の
人には
反応するようですね
てめえ!!
ご主人様を
なめてんのか!!
CITY
HUNTER
MAGIC

ダメ太郎ちょっとこい!!
なんの用ですか!? 神様(かみさま)!
テレビが調子悪い! 直せ!
機械同士だからうまく直せるだろ!
わしに二度と逆らわんようにするんだぞいいな!
禁煙
どうも神様の声がおぼえにくいようです…
なに!?
ほら! そういう風にでかい声をだすでしょう
声(ボイス)センサーは繊細な機械ですからやさしく言ってください
テレビちゃんどうかついてくださいね!
ほらちゃんとつく!
MAGIC
ざけんじゃねえ! 機械におせじ言えるか!!
だめ!! 本当にこわれてしまいますよ!

声がでかいのは生まれつきだ直せるか！
なんとかしろ！ダメ太郎!!

音域を変化させ音で反応するようにしました
どうやるんだよ？

つける時は手を たたいてこうです！
パン
パッ

チャンネルを変える時は高い音でこう！
チーン
カチャ

なんか 坊主がお経を あげてるみたいだな！
音のほうが作動は確実です
カチャ
カチャ
チーン
チーン

そうか！きょう午後から競馬中継があるんだ

4チャンネルだ！変われ！
チーン
チーン
チーン
あれ!? 変わらんぞ!?

マイクとコップの位置が悪いのかな!?
この角度のほうが…
チーン
カチカ
競馬の友
ミスターエド
やった!
MAGIC

右45度の角度がベストだ!
よし!始まったばかりだな
ガチャン
きゃあ
MAGIC

バカ!音をだすなチャンネルが変わるだろ!
ごめんなさい!
火の用心

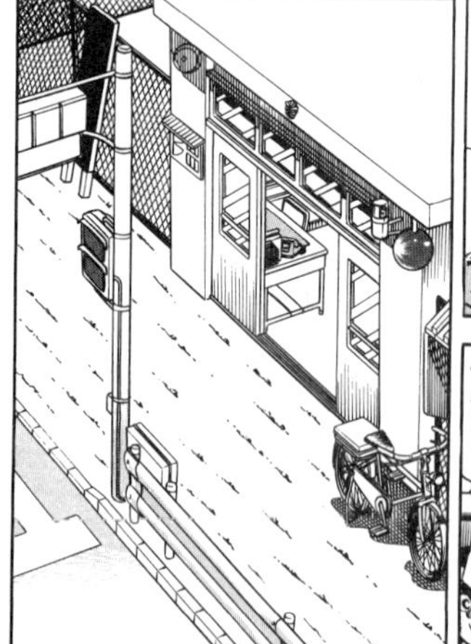

元にもどす角度がむずかしいんだぞ
クソッ!なんの因果でこんなマネを!

部長さん お茶です
うむ ありがとう
きょうは静かで平和そのものだな
両津 音を小さくしろ!
突然大きくなったんですよ!

先輩
テレビを
止めて!!
さっきから
手を たたいて
いるんだが
音が うるさくて
作動しない
じゃ
コンセントを
抜いたら
どうです!?
抜いても
停電対応で
2時間は充電
装置が働き
作動するんだ!
ダメ太郎
なんとか
しろ!!
鍋です
鍋を
たたいて!
鍋
だと!?
その音が
ボリュームに
反応する
はずです
もっと
強く
たたいて!
カーン
カン
やった!
音が小さく
なった!
なんという
テレビだ!?
ホイ
ホイ
ホイの
ホイ
カン
カン
CMで
金属音が
でたとたん
急に大きく
なったんだ
そ、その音に
反応したん
ですよ
おそろしい
テレビだな
!
そんな事じゃ
心配で
テレビを
見てられ
ないだろ!
だって
音に反応
するから…

ホンコン
ヤキソバは
フライパンで
かーんたんに
できます
カーン
げっ
またた！
あなたも
ぜひ
カン
カン
カン
カン
静まれ
このテレビめ！
だまれ！
あーっ
疲れた
これじゃ体が
もたんよ！
音で反応
するのは
やめたほうが
いいんじゃ
ない？
しかし
声だと
むずかしくて…
いちいち
テレビ見るたびに
コップや
鍋 釜を持って
見られるかよ
！
先輩
音を立てちゃ
ダメです！
そうか！
いけね！
不気味だな
このテレビ！
いつ作動
するか
わからん！
うっかり
金属音を
だせません
ね！

そおっ…と
カチャ
ピク
ぐわっ
気がつきやがった!!
まるで地獄耳だ!
なんまいだなんまいだ!!
くそ!!むこうの音のほうが強力だ!!
音はだめだ!危険だ!
じゃあ元にもどしましょう
いいですか?やさしく話してください!大声は絶対にだめですよ
うーむ不本意だが仕方がない126万円もしたテレビだからな…
テレビちゃんいい子だから4チャンネルにしてねェ♡
MAGIC
しーん

てめっ 下手に でりゃ いい気に なりやがって!!
だめです 神様!!
本気で話しかけないとダメです! うわっつらだけだと反応しません
うぬ〜っ 見抜いてやがったのか!
ちょこざいなテレビめ!
126万もした品だ! ここは ひとつ大人になって…
テレビさん 4チャンネルおねがいします!
ペコリ
うーむ 本当にわかるんだな
カチャ
機械にも感情があるんですよ 神様!

後日
あのテレビをつかっているのか 両津は!?
はい! なにしろ126万円もした品ですからね すてられませんよ
近頃じゃ敬語をつかうくらいじゃ反応しないんですよ
テレビをつけるための儀式を見ますか?

こちら葛飾区亀有公園前派出所⑨(完)

★週刊少年ジャンプ1987年19号

解説エッセイ「おまわりさんの福音書」

浅田次郎（作家）

日本のおまわりさんは変わっている。
世界中のどこの国へ行っても、こういうおまわりさんは存在せず、こういう警察はない。
どう変わっているのかというと、第一にまず、ものすごく信用ができる。そりゃあときどき、ピストルを暴発させたり、泥棒に入ったり、変な宗教に入信して上司に発砲したりする不届き者もいるにはいるが、全体的な信用度からすると物の数にも入らない。
多くの外国、ことに後進国であればあるほど実はおまわりさんはヤバい存在なのである。
第二に、ものすごく親切である。
その昔、私の子供の時分には、おまわりさんは不親切だった。妙に威丈高で、いつも町人をさげすむような目で市民を見くだしていた。ちらりと笑顔を見せただけで、「あそこの交番のおまわりさんはいい人だ」などと言われたものだった。

そういうことではいかん、というお達しがあったのかどうかは知らんが、いつのころから か（たぶん東京オリンピックを境にしてだと思うが）、セールスマンもかくやけと思われるほど親切になった。まるで人生相談のように親身になって道案内をしてくれるおまわりさんなど、どこの国を探してもいない。

第三に、ものすごくストイックである。

交番のそばの喫茶店でおまわりさんがモーニング・コーヒーを飲んでいる姿など見かけたことはないし、ラーメンをすすっていることもない。

おまわりさんだって労働者なのだから、徹夜仕事のあとはコーヒーの一杯も飲みたかろうし、目の前にラーメン屋があれば心の底から食いてえと思うだろう。

だが、おまわりさんは決して喫茶店には行かずにアルミのヤカンを傾けて番茶を飲み、腹が減ればまるで悪事でも働くようにコソコソとコンビニに行って、インスタントラーメンを買ってくる。そしてやはり、アルミのヤカンを傾けてラーメンをすする。

プレゼントも、絶対に受け取らない。私はかつていろいろな人にプレゼントと称してワイロを送ったが、多少金目のものであれば、遠慮しつつ誰でも受け取る。これを断固拒否した公人といえば、私の思いつく限り武蔵野日赤の看護婦長とおまわりさんだけである。

こんな話がある。ひそかに想いを寄せていた高校の先輩がおまわりさんになったので、女子高生が思いのたけをこめて作ったバレンタインデーのチョコレートを交番に持って行った。

ところが、その先輩は仏頂面で愛の告白を断固拒否したのである。新任のおまわりさんには、法律的な説明を加える余裕がなかったのだろうが、「そういうものを受け取るわけにはいかん」、と押し返された女子高生は失恋の痛手をこうむった。

女子高生もかわいそうだが、もしかしたら想いは同じだったのではなかろうかと思うとおまわりさんはもっとかわいそうだ。

ともかく、外国のおまわりさんは信用できないし、不親切だし、コーヒー・ショップでホットドックも食うし、たぶんバレンタインのチョコレートは喜んで受け取る。

ことのよしあしはともかく、国際的な比較の上では、明らかに日本のおまわりさんは変わっているのである。

そして、それらの特性が交番のおまわりさんを、「ぼくらとはちがう人たち」と認識させ、一種の異物感を市民にもたらしていることもまた事実だろう。

秋本治氏の描く『こちら葛飾区亀有公園前派出所』のヒーロー「両津巡査長」の魅力と

は、そうした「日本のおまわりさん」の肖像をことごとくつがえしているところにあるのではなかろうか。

絶対に信用はできない。親切か不親切かという点については、論ずるより先にまず、そういう認識がそもそもない。禁欲主義(ストイシズム)とは無縁の、徹底的な快楽追求者(エピキュリアン)である。

両津巡査長のようなおまわりさんがもし現実に存在したらと考えると、まったく笑いごとではすまされぬ。つまり笑いごとではすまされぬキャラクターであるからこそ、読者は『こち亀』に腹をかかえて笑うのである。

正直のところ彼のような人物は、警察以外の職場ならば、どこへ行っても必ず一人や二人はいるようである。インサイドから見れば、本当は警察にもいるのかも知れないが、仮にいたとしても対社会上はしっかりと仮面をかぶって正体を現すことはない。

要するに、警察以外の職場にならばどこにでもおり、警察だけにはいないという摩訶不思議なキャラクター、それが「両津巡査長」なのである。

作者秋本治氏が意図的にそう考えたのかどうかはわからない。しかし、まともすぎるゆえに市民生活となじむことのできない日本の警察官を、『こち亀』があざやかに風刺していることはたしかだ。

そしてこれも作者が意図しているかどうかはわからないが、この荒唐無稽な巡査長が毎回タイムリーな事件に遭遇することによって、警察そのものに対する風刺は社会風刺へと拡大される。

この点については連作物語として、きわめてすぐれた構造を持っているということができよう。

さらに、こうした言い方は作者に対して失礼かも知れないが、発表雑誌にとっても、出版社にとっても、もちろん多くの読者にとっても、『こち亀』がきわめて有難い構造を持っていることに疑いようはない。

作品としての秀逸さもさることながら、商業的にも秀逸なのである。いわばコミック界の健康優良児とでもいうところか。

ところで、いつも思うのだが、妙に信用があって親切でストイックな日本のおまわりさんたちは、『こち亀』をどのような気持ちでごらんになっているのだろう。

まさか「要注意本」に指定されることもなかろうから、おそらく独身寮では競って回し読みをされ、もしかしたら留置場の深夜の看守台や交番の控室でも、こっそりと読まれているのではなかろうか。

『こち亀』の最も熱烈な愛読者は、まちがいなく彼らだろうと思う。

平和な市民生活のためにあたら青春の日々を捧げ、時として恋人のバレンタイン・チョコレートまで断固拒否して、制帽のひさしに男涙を隠す彼ら日本のおまわりさんにとって、『こちら葛飾区亀有公園前派出所』は大いなる福音をもたらしているはずである。

掲載作品は集英社より刊行されたジャンプ・コミックス『こちら葛飾区亀有公園前派出所』第54巻（１９８８年10月）第55巻（同12月）第56巻（１９８９年２月）の中から、著者自らが精選して収録したものです。

JASRAC 出9651233-601

集英社文庫(コミック版)

こちら葛飾区亀有公園前派出所 9

1996年12月18日 第1刷
2009年7月31日 第10刷

定価はカバーに表示してあります。

著者 秋本治

発行者 太田富雄

発行所 株式会社 集英社
東京都千代田区一ツ橋2-5-10
〒101-8050
電話 03(3230)6251(編集部)
03(3230)6393(販売部)
03(3230)6080(読者係)

印刷 図書印刷株式会社

Printed in Japan

ISBN4-08-617109-0 C0179